I0588126

Des nouvelles du père

Projet dirigé par Pierre Cayouette et Myriam Caron Belzile

Adjointe à l'édition : Raphaelle d'Amours
Conception graphique : Nathalie Caron
Révision linguistique : Élyse-Andrée Héroux, Isabelle Rolland
et Sabine Cerboni
En couverture : Montage à partir d'illustrations
de Art'nLera / shutterstock.com et liskus / shutterstock.com

Québec Amérique
329, rue de la Commune Ouest, 3e étage
Montréal (Québec) Canada H2Y 2E1
Téléphone : 514 499-3000, télécopieur : 514 499-3010

Nous reconnaissons l'aide financière du gouvernement du Canada par l'entremise du Fonds du livre du Canada pour nos activités d'édition.

Nous remercions le Conseil des arts du Canada de son soutien. L'an dernier, le Conseil a investi 157 millions de dollars pour mettre de l'art dans la vie des Canadiennes et des Canadiens de tout le pays.

Nous tenons également à remercier la SODEC pour son appui financier. Gouvernement du Québec – Programme de crédit d'impôt pour l'édition de livres – Gestion SODEC.

Conseil des Arts du Canada   Canada Council for the Arts

SODEC Québec

Catalogage avant publication de Bibliothèque et Archives nationales du Québec et Bibliothèque et Archives Canada

Vedette principale au titre :
Des nouvelles du père
(Tous continents)
ISBN 978-2-7644-2494-0 (Version imprimée)
ISBN 978-2-7644-1204-6 (PDF)
ISBN 978-2-7644-1205-3 (ePub)
1. Nouvelles québécoises - 21e siècle. 2. Paternité dans la littérature - Romans, nouvelles, etc. 3. Pères dans la littérature - Romans, nouvelles, etc. I. Lévesque, Michel J. II. Collection : Tous continents.
PS8323.F38D47 2014   C843.010835251   C2013-942234-X
PS9323.F38D47 2014

Dépôt légal : 2e trimestre 2014
Bibliothèque nationale du Québec
Bibliothèque nationale du Canada

quebec-amerique.com

Imprimé au Québec

Des nouvelles du père

RECUEIL

Dominic Bellavance
Claude Champagne
Tristan Demers
Mathieu Fortin
Pascal Henrard
Michel J. Lévesque
André Marois
Martin Michaud
Patrick Senécal
Matthieu Simard
Pierre Szalowski

Québec Amérique

Préface

Pierre Cayouette, éditeur

C'est au romancier Michel J. Lévesque qu'il faut attribuer la paternité de ce singulier recueil. C'est lui qui a eu la belle idée de réunir onze auteurs québécois et de leur suggérer la rédaction d'une nouvelle autour du thème du père.

La consigne était claire : pas d'autofiction, pas de littérature de « genre ».

Si les auteurs ont joué le jeu, plusieurs d'entre eux se sont permis de tricher. Il y a beaucoup d'autofiction dans leurs histoires, en effet. L'expérience de la paternité est si intime et si intense, faut-il croire, qu'elle appelle avant tout au récit autobiographique.

S'il fallait chercher dans ce recueil un fil conducteur, ce serait peut-être l'idée que la paternité se réinvente, qu'elle est en pleine mutation. Si un éditeur avait publié pareil recueil il y a cinquante ans, nous y aurions probablement lu les histoires de pères absents, de pères pourvoyeurs, de pères autoritaires.

Les jeunes pères écrivains qui signent les textes qui suivent sont bien de leur temps. Ils apparaissent comme des pères présents, des pères aimants, des pères complices, des pères engagés.

Leurs histoires sont à la fois inspirées et inspirantes.

Table des matières

What Child is This ?

Matthieu Simard

C'était un vendredi, le 22 juin 2012, au début d'une canicule moderne, de celles qui s'éternisent. Une dizaine de minutes plus tôt, j'avais immobilisé la voiture sur Saint-Joseph, angle Chambord. Mes mains tremblaient, mais j'ai quand même réussi à prendre mon téléphone pour regarder l'heure, parce que je savais que c'était le genre d'information que je voudrais avoir plus tard.

À cette époque-là, j'ignorais que sur l'écran d'accueil d'un iPhone, le titre de la chanson en cours de lecture apparaissait, sous l'affichage de l'heure. À midi et quatre ce jour-là, le titre d'une chanson est donc apparu sur mon téléphone : *What Child Is This*. C'était une pièce du Noël de Charlie Brown, mais dans l'état où j'étais, avec ce que je venais de vivre, je n'y aurais jamais pensé. Tout ce qui m'est venu en tête, c'est :

« Qui, quoi, euh ? » Puis, deux secondes plus tard : « Comment savent-ils ? »

Parce que quatre minutes plus tôt, dans la voiture, sur Saint-Joseph, tu naissais. Dans mes bras.

Et là, je croyais que mon téléphone me suggérait de te taguer quelque part.

Au bout du fil, le gars d'Urgences-santé, qui devait me guider pas à pas durant l'accouchement afin que je ne te tue pas effrontément, était toujours deux étapes en retard. Il faut dire que je ne l'aidais pas vraiment : d'une part, j'étais un peu trop occupé avec ce qui se passait dans l'auto pour tenir une conversation courtoise et cohérente et, d'autre part, je n'entendais que le tiers de ce qu'il me disait, le téléphone coincé tout croche entre mon épaule et ma joue.

— Attention, le bébé peut être glissant, m'a-t-il dit.

Je ne t'ai pas échappée. Pas cette fois-là, du moins. Et, tu avoueras, tu n'as pas besoin de moi pour te péter la tête partout. Mais cette fois-là, quand le gars m'a prévenu que tu étais glissante, tu étais déjà bien blottie contre ta maman, et non assise sur un tapis sauve-pantalon.

— Prenez une serviette propre pour essuyer sa tête, a-t-il ajouté.

Un comique.

— Je viens justement de finir une brassée dans le coffre de mon char.

J'ai enlevé mon t-shirt, tu sais, le bleu avec des rayures d'un autre bleu que tu vois sur plein de photos, et on t'y a emmitouflée. Je me suis relevé un peu, pour souffler mes émotions ailleurs que dans ta face fripée, et ça m'a marqué : j'étais en *chest* sur Saint-Joseph.

Il y a bien juste toi pour me faire faire des choses pareilles.

Une heure plus tôt, ta mère prenait un bain. On revenait de déjeuner au Beautys – je ne sais pas pourquoi on était allés si loin de la maison – et elle commençait à souffrir. Des contractions régulières, rapprochées, mais nous, on était au-dessus de nos affaires, à cause de ton frère. À sa naissance, trois ans plus tôt, elle en avait eu pendant dix heures, des contractions comme ça.

Fortes, rapprochées. Oh, on nous avait bien avertis que pour le deuxième, c'était plus rapide. Mais c'est quoi, plus rapide ? Quatre, cinq heures ?

La première fois que ta mère m'a dit qu'elle croyait que ça y était, trois quarts d'heure après le début des contractions, j'ai ri d'elle. Je suis comme ça, plein de tact et de délicatesse envers ceux qui souffrent. Pour ne pas trop la contrarier, j'ai commencé à faire nos bagages pour l'hôpital. Sans, évidemment, inclure de serviettes propres – ils en ont plein, à Sainte-Justine, de ça.

J'ai appelé ta grand-mère pour lui dire d'aller chercher ton grand frère à la garderie, que ça semblait y être. Ton grand-père et elle viendraient loger à la maison pour quelques jours. Je venais de terminer les bagages, et j'allais me lancer dans le changement des draps de notre lit quand ta mère m'a dit de laisser faire, de juste déposer les draps propres sur le bord du lit. C'est à ce moment précis que j'ai arrêté de rire d'elle et que j'ai su qu'il fallait partir, et vite.

Ta mère n'est pas du genre à laisser un lit sale pour la visite.

Deux heures plus tôt, au Beautys, je mangeais un bagel avec du fromage à la crème. Ta mère, sa bedaine et moi parlions de l'accouchement imminent, de la hâte qu'on avait de te voir la bette, du prénom que tu n'avais pas encore, et moi, j'angoissais en silence. C'est que cet été-là, un gros chantier avait débuté à l'hôpital Sainte-Justine, et le stationnement destiné au public n'existait plus. Ton grand-père m'avait dit, quelques semaines plus tôt, que je pouvais me stationner aux HEC, ce qui à l'époque m'avait rassuré. Mais là, maintenant que tu allais bientôt naître, je m'imaginais arrivant près de l'hôpital, énervé bien sûr, et ne trouvant pas l'entrée du stationnement des HEC, et paniquant, et, qui sait, avec tout ce stress, faisant exploser l'univers. Et toi avec.

Comme je ne voulais pas te faire exploser, j'ai pris mon courage à deux mains, et j'ai avoué mon angoisse niaiseuse à ta mère, qui ne l'a pas trouvée niaiseuse – ta mère est formidable. Alors, en sortant du Beautys, tandis que ta mère commençait à contracter du bedon, on est allés en face de l'hôpital Sainte-Justine pour voir le stationnement des HEC et casser mon angoisse.

Deux heures avant ta naissance, donc, on était devant l'hôpital où tu étais censée naître. Puis on est rentrés chez nous.

Grands champions.

■ ■ ■

Ta mère, ce génie, entre deux contractions, a insisté pour que je mette un piqué sur le siège du passager de l'auto. Je l'ai fait parce que ce n'était pas le temps de nous engueuler, mais je refusais catégoriquement, en mon for intérieur, d'accepter que tu puisses naître ailleurs qu'à l'hôpital. L'idée ne m'avait même pas traversé l'esprit. Quand j'ai démarré du point A, je n'avais en tête que l'objectif point B – cette auto de rallye était inspirante, et le bruit des pneus sur l'asphalte ressemblait à «tout va bien aller tout va bien aller tout va bien aller». Dix minutes plus tard, alors qu'on était à peine rendus pas loin du tout, ta mère m'a demandé d'arrêter, et j'ai refusé.

— C'est maintenant, a-t-elle dit.

— On va se rendre, ai-je répliqué avec assurance, plein d'épaisseur.

— C'est maintenant, je te dis.

J'avais plus d'un tour dans mon sac, et je savais comment lui faire changer d'avis.

— Alors, j'appelle 911 ? ai-je demandé.

Ta mère n'est pas du genre à appeler 911 sans que ce soit absolument nécessaire. Elle allait dire non, c'était certain.

— Oui.

Euh.

— J'appelle 911?

— Oui.

— T'es sûre?

— Oui.

J'ai pensé poser la question à répétition jusqu'à ce qu'on arrive à l'hôpital, mais ma niaiserie a ses limites. J'ai donc stationné l'auto devant le 1301, boulevard Saint-Joseph, et j'ai composé le 911.

Quand j'ai vu le camion de pompier, gyrophares allumés, qui s'approchait, tu étais déjà en train de pleurer dans le cou de ta maman. Les pompiers ont immobilisé leur véhicule devant nous et, malgré mes gestes intempestifs, prenaient leur temps pour venir nous rejoindre. J'imagine que la plupart du temps, quand ils reçoivent ce genre d'appel, le bébé est encore loin de se montrer le bout du crâne pointu. Quand le premier pompier est arrivé, il t'a vue et a écarquillé les yeux.

— Oh, il est déjà né !

Je ne l'ai pas repris – « *Come on*, c'est une fille ! » – j'avais juste hâte qu'ils prennent le relais.

Ils se sont garrochés, tout souriants, formidables. Je les ai laissés faire leur travail. Je me suis reculé, les jambes un peu molles du relâchement trop brusque de la pression. J'avais fait ma part de la job et mon cerveau, préalablement en mode urgence, redémarrait. C'est ce moment-là que j'ai trouvé le plus dur. Coupé de toi et de ta maman, je prenais conscience lentement de ce qui venait de se passer, et c'était beaucoup, beaucoup d'émotions que j'avais eu à maîtriser. Beaucoup d'inconnu, beaucoup de peur refoulée. Pendant les minutes précédentes, je ne m'étais rien permis de cela. Pas le choix. Et là, quand j'ai relevé la tête pour revenir sur terre, j'ai eu le vertige. Je me suis mis à trembler.

— Ça va ? m'a demandé le plus gentil des pompiers.

— Oui, ai-je répondu sans trop m'entendre.

Il m'a tendu la main, sans doute inquiété par la blancheur de mon teint.

— Félicitations !

J'ai serré sa main, des larmes sur le bord des paupières. La solidité de sa poigne, son sourire, le ton rassurant de sa voix m'ont ramené parmi les mortels, ont rosi mes joues, ont stabilisé mes genoux. La vie ne pouvait pas être plus belle. Un autre pompier s'est approché de toi pour couper ton cordon ombilical. Celui à la poigne régénératrice l'a interrompu.

— Heille, c'est au père de faire ça.

Je ne l'ai pas fait, je n'en avais pas besoin. Ce n'est qu'un cordon. Je ne l'avais pas plus fait pour ton frère. Ils l'ont coupé eux-mêmes.

Puis, le pompier m'a demandé si je voulais qu'il nous prenne en photo. Je lui ai tendu mon téléphone, je suis retourné sur le siège du conducteur, et il a pris cette photo que tu connais, floue mais si belle, avec ton papa en *chest* et ta maman souriante, et toi toute minuscule, dans notre auto, dans la rue. J'ai regardé ta mère dans les yeux. On s'est fait un *high five*. Les pompiers ont ri.

J'étais bien. On était bien. Dans la folie du moment, je me suis souvenu de ce que j'avais le moins aimé lors de la naissance de ton frère. Les heures à l'hôpital, impuissant, à voir ta mère souffrir avant qu'il se décide à nous rejoindre hors de sa bedaine-piscine. Rien à dire, rien d'autre à faire que tenir la main de ta mère, et les heures qui passent, et l'impossibilité de souffrir à sa place. Cette fois-ci, tout ça n'existerait pas. Dans ma tête, je t'ai remerciée d'avoir été aussi pressée.

Le pompier m'a remis mon téléphone, et j'ai voulu savoir à quelle heure tu étais née. J'ai appuyé sur le bouton Accueil.

What Child is This?

Vraiment?

Quand la madame du 911 a répondu au début de tout ça, je l'ai trouvée beaucoup trop calme. J'aurais aimé qu'elle partage un peu ma fébrilité, qu'elle entre avec moi dans le moment exaltant. Je ne lui en veux pas, elle a très bien fait son travail. Sauf que quand elle m'a confirmé que les secours s'en venaient et qu'elle me transférait à monsieur Deux-Étapes-En-Retard d'Urgences-santé, j'aurais préféré raccrocher et pouvoir vivre cette boule d'événements seul avec ta mère. Faire ce que j'avais à faire, d'instinct, aider ma blonde, en bon être humain, sans avoir à gueuler

«Pardon ?» dans le téléphone chaque fois que le gars me disait de faire ce que j'avais déjà fait. Mais, accroupi sur le trottoir, à côté de ta mère étendue sur le siège du passager, je continuais à serrer le téléphone sur ma joue, le cou tordu, et parfois je répétais à ta mère ce que le gars me disait, même si je savais que ça n'aidait pas vraiment.

— Il dit de pousser.

Au bout d'un moment, je l'ai laissé parler, sans l'écouter. Ce n'était pas de l'impolitesse, c'est juste que je ne pouvais plus l'écouter : je tenais ta tête entre mes mains, et tout mon être était fondu à toi, cette seconde-là, tout mon être et toi, un père et sa fille, puis ton corps au complet, si petit et si vivant, le gars d'Urgences-santé pouvait dire ce qu'il voulait, j'avais ma fille entre mes mains, je t'avais entre mes mains, pour une seconde que j'aurais souhaitée éternelle.

Quelques heures après ta naissance, je marchais lentement sur Côte-Sainte-Catherine, vers un restaurant de sushis. Ta mère et moi étions affamés, elle m'avait envoyé à la pêche aux poissons crus. Je respirais lentement, déposant chaque pas sur le trottoir comme s'il résonnait dans toute la ville. Je regardais partout autour, la tête haute, et je te jure qu'à ce moment-là, j'étais invincible. Tout pouvait m'arriver. J'étais prêt.

Mais ce sentiment-là s'estompe rapidement. Ça passe. Ça se calme. D'autres mésaventures, d'autres nuits blanches, des pleurs, des inquiétudes, toujours plus d'inquiétudes. Je ne suis plus invincible. Mais l'histoire, ton histoire, reste. Je voulais te l'offrir.

Tu ne peux pas avoir un papa auteur, naître de cette façon et ne pas pouvoir, quand tu le voudras, en lire le récit.

Alors voilà, Estelle.

What Child is This ?

Mine. It's mine.

Coincée dans la gorge

Dominic Bellavance

Pour Marianne

J'accours dans une salle de réunion déserte. Coup d'œil sur la porte : c'est le bon numéro. Me suis-je trompé en notant l'endroit ? Je dépose mes documents sur la table et m'écrase sur la chaise à l'extrémité du meuble, pendant que je frotte mes mains sur mes pantalons pour en chasser la moiteur. Du plexiglas recouvre les murs, revêtement inhabituel mais utile pour écrire pendant une séance de remue-méninges ou, comme c'est le cas ici, pour y tracer des caricatures niaiseuses de collègues qui me sont encore inconnus. Les visages joufflus s'échangent des messages complices, inscrits dans des phylactères parfaitement ovoïdes.

Neuf heures cinq.

Dans le passage, des encadrements d'affiches publicitaires montrent d'importantes réalisations de la boîte. Parmi celles-ci, je reconnais un échantillon de la fameuse campagne « Parle de ta bouche » qui a transformé le brossage de dents en véritable phénomène social au Québec. En me penchant sur le côté, je distingue une photo de « Jérémie Boulet », l'adolescent de Sainte-Brigitte-de-Laval qui a remué la province, d'abord en se filmant sur YouTube pendant qu'il lisait une lettre crève-cœur, puis en se mettant la corde au cou devant sa webcam. Cette vidéo a démontré de belles prouesses techniques, tellement qu'il a fallu deux semaines au public pour découvrir que ce clip – qui avait alors atteint cinquante millions de visionnements – était un canular financé par un OSBL désireux de dénoncer l'intimidation à l'école. Du grand art qui a raflé tous les prix en 2013, tellement que les concours étaient devenus plates à suivre.

Cette année-là, l'entreprise a dû louer une semi-remorque pour rapporter ses trophées au bercail. Et aujourd'hui, les plaques et statuettes accumulées par l'agence sont exposées à l'entrée, sur une tablette immense. Un rayon de soleil frapperait cette collection qu'on se brûlerait les rétines à la regarder. De quoi intimider les concepteurs les plus créatifs.

Si c'est l'effet recherché, ça marche.

En y repensant, je me déplace d'un siège vers ma droite, songeant qu'à cet endroit j'attirerai moins l'attention.

Un énergumène s'approche dans le corridor, je reconnais le look : cheveux ras sur les côtés et longs sur le dessus, foulard satiné et grosses lunettes noires.

Il me dévisage une seconde, la main appuyée sur le cadre de porte.

— On se connaît ?

Je repousse ma chaise en me levant, le dossier percute le mur.

— Non, dis-je. Ha, ha. Je commence aujourd'hui comme directeur artistique. Nicolas Girard.

— *Cooool*, fait-il sans entrain. Un autre DA. Moi c'est Yves. Graphiste.

Il m'offre une main mollasse et s'assoit. Pendant qu'il consulte son iPhone, il fait un « pop ! » avec sa bouche :

— Faque, comment tu trouves ça chez T&B ?

Il prononce le nom de l'entreprise à l'anglaise (ti-enne-bi), probablement parce qu'à la française, l'acronyme donne l'air de bégayer (té-é-bé).

— C'est plus gros qu'où je travaillais. J'étais chez MédiaZONE, en basse-ville.

— Connais pas.

Des rires nous parviennent du couloir; d'autres employés conviés à la réunion entrent dans la salle, du plus petit jusqu'au plus grand, comme s'ils rendaient hommage aux Daltons. Parmi eux je reconnais Yannik Castonguay, le directeur de création qui m'a interviewé vendredi dernier et qui a eu la gentillesse de m'offrir ce nouvel emploi. En bon leader, il se positionne au bout de la table, sur la chaise que je voulais d'abord occuper.

Je me redresse pour serrer la main aux nouveaux collègues. Ils sont déjà assis, papiers étalés devant eux. Je regagne mon siège, gentiment.

Alors qu'ils échangent des nouvelles sur leurs projets, je palpe mon bras et sens le timbre de nicotine sous ma chemise. Le pharmacien m'a assuré que ça calmerait mes envies de cigarette. Sale menteur.

De sa voix de ténor, Yannik amorce la rencontre. Il souhaite bon matin à l'assemblée et prend une gorgée de café.

— Avant de commencer, je vous présente Nicolas Girard.

J'adresse au groupe un salut puéril. Ensuite, il nomme mes nouveaux collègues. Je me concentre pour associer les noms aux visages, sans quoi je les appellerais tous « Mark Ten », la seule chose qui me vient à l'esprit. Il y a bien sûr Yves, le graphiste pseudo hipster, mais aussi Sophie, la directrice de photographie, Mégane, une conceptrice facile à regarder, et Clément, le directeur de comptes. Les deux filles semblent à peine sorties de l'université, alors que Clément est clairement le doyen de l'assemblée, du haut de ses quarante-cinquante ans. Rien d'autre n'est « haut » chez lui ; debout, il aurait le nombril sous la table. Fait à noter : Mégane est la version féminine d'Yves. Mêmes lunettes, même air fendant.

— J'ai une bonne nouvelle, reprend Yannik tandis que Clément croise les bras, l'air de connaître la suite. J'ai parlé à John Mattel, le PDG de Caregiver. Il est content de la campagne 2012 et veut remettre la machine en marche pour 2014.

— Laisse-moi deviner... s'avance Yves, mais Yannik l'interrompt sur sa lancée.

— Pas besoin de commenter. Je sais... Il m'a parlé d'un *spot* télé.

Bref silence dans la salle. Je sens un malaise. Mon regard vagabonde de gauche à droite, et je cherche une blague pour détendre l'atmosphère.

— C'est tout ? s'écrie Mégane. Ça fait un an qu'on leur propose une campagne virale. Mes gestionnaires de communauté ont des disponibilités.

— Parce que c'est vraiment *in* d'aimer une marque de sirop contre la toux sur Facebook, hein, lance Yves sans quitter son iPhone des yeux.

— Arrête de voir ça au premier degré. Leurs compétiteurs utilisent les gros réseaux depuis 2009. Sans blague, pourquoi on garde des contrats comme celui-là ?

La question était adressée à Yannik, mais Clément se charge de la relancer :

— Depuis combien d'années on travaille avec Caregiver, Mégane ?

— J'sais pas. Quinze ans ?

— Vingt-cinq ans. J'étais en contact avec leur PDG quand t'as commencé le secondaire.

— Il perd des parts de marché.

— En quoi ça change notre mandat? Mattel n'a jamais voulu ouvrir un département de marketing à l'interne. Quand il a besoin d'une pub, il vient nous voir.

Mégane s'écrase contre son dossier, sa chaise recule de quelques pouces.

— On est une boîte créative, pas un studio de production, dit-elle. Ça me fait chier. Le slogan « Le sirop de docteur Maman », c'est puissant. Avec ça, on pourrait faire des concours sur Facebook. Il connaît ça, Facebook?

— Veux-tu que je parle franchement? dit Clément dont les lunettes sont près de s'embuer. J'aurais plein de belles idées pour lui. Mais il est conservateur. Je rencontre Mattel six fois par année, c'est mon dossier. Il veut un *spot* télé? On va mettre nos créatifs sur le dossier, et on va lui en donner un.

— C'est une vache à lait, Meg, ajoute Yves en grattant sa barbe de deux jours. Même moi, j'ai compris ça.

Sophie forme un cadre avec ses doigts, devant son œil ouvert, l'air d'imaginer une scène filmée.

— Une publicité avec un enfant qui tousse, une mère qui apporte une bouteille de sirop et une belle cuillère propre. Une liste de symptômes défile, ouin, pendant qu'un filet coule dans la cuillère. Gloup ! L'enfant sourit. En grosses lettres : « Le sirop de docteur Maman. » Fin de la pub.

Meg envoie à Yannik un sourire tellement faux qu'on pourrait presque lire *made in China* sur ses lèvres.

— C'est bon ? On peut retourner travailler ?

Je reste figé comme si on m'avait lancé une chaudière d'eau froide au visage. Je regarde une dernière fois les affiches dans le couloir et, désillusionné, je m'engage dans la discussion :

— Vous faites ça souvent, chez T&B ?

Silence dans la salle. Cinq paires d'yeux outragés se tournent vers moi.

— C'est quoi son nom, à lui ? demande Mégane à son directeur créatif.

— Nicolas, que je réponds moi-même.

Clément, visiblement plus réceptif que ses collègues, ouvre grand les oreilles et me demande :

— Qu'est-ce que tu insinues par là, Nicolas ?

— Je pensais qu'en venant chez T&B, j'aurais plus ce genre de discussion.

J'aurais parlé en klingon que j'aurais récolté les mêmes réactions, alors j'en rajoute :

— Je travaillais chez MédiaZONE. Savez-vous pourquoi la boîte a fait faillite ? Parce qu'elle donnait au client exactement ce qu'il demandait.

Je lance du bout des doigts un carnet rectangulaire orné du logo de T&B. Il atterrit au milieu de la table en tournoyant.

— Votre brochure pour les nouveaux employés parle d'« innovation », d'une « nouvelle ère du marketing ». Clément, je respecte ton expérience. Mais si Caregiver perd des parts de marché, il faudrait peut-être renouveler sa marque. Non ?

— Qu'est-ce que tu connais sur Caregiver ?

— Le nécessaire, compte tenu que mon fils morve comme une champlure depuis deux jours.

Assez pour savoir que mon scrotum rapetisse quand j'achète « le sirop de docteur Maman » chez Jean-Coutu. J'ai moins honte de demander de la Préparation H au comptoir.

Les épaules d'Yves sautillent. Du coin de l'œil, je vois qu'il répond à quelqu'un sur Snapchat. Clément lève les sourcils au point où les rides de son front s'empilent les unes sur les autres. Je lis dans cette expression : « Que veux-tu ? La formule a fait ses preuves ! »

— Proposons-leur d'abandonner leur vieux slogan sexiste, dis-je en posant mon doigt sur la table. Offrons-leur une publicité avec un père de famille. Pourquoi pas ?

Si mes collègues ont oublié leur café, mon intervention les a réveillés. Mégane s'accroche au rebord de la table.

— Crisse, Yannik, tu l'as pêché où, lui ?

Sophie fixe le vide en marmonnant « Un homme... », l'air d'imaginer une séquence filmée. Yves secoue la tête. Seul Clément parvient à garder son sang-froid.

— C'est peut-être sexiste, mais les études sont claires : encore aujourd'hui, ce sont les femmes qui achètent les médicaments pour enfants. Dans une forte proportion.

— Si Caregiver veut se faire remarquer, qu'elle montre un père avec son enfant. Le téléspectateur va s'étouffer avec son Pepsi.

— Le client a manifesté ses intentions.

— On sait ce qu'Henry Ford a dit de ça. Il...

Mégane me coupe la parole :

— Bla, bla, bla. Henry Ford. Le p'tit nouveau se doute même pas que l'histoire du cheval rapide, c'est juste une rumeur.

— Mégane, câlisse, si tu veux me parler, je suis là.

Le juron fait son effet. Elle me lance un regard de lionne, et je sens que ma vie est en danger.

Yves ferme son iPhone et se permet une intervention :

— J'arrêterais de perdre mon temps. On fait de l'argent avec Caregiver, on sera créatifs avec d'autres clients. Ceux qui veulent des idées fraîches.

Mégane en rajoute :

— Un homme dans une pub de sirop ou de ménage... l'idée est facile. À la limite niaiseuse. On croirait entendre un stagiaire.

Clément revient avec ses chiffres et ses études, martelant que l'industrie du sirop contre la toux parle aux femmes, que ce serait maladroit d'en changer le destinataire sur un coup de tête. Il est ferme : ça ne se fait pas. Sophie énumère des contraintes techniques pour une telle séquence et se répond elle-même. Et il y a Mégane. Elle continue à vomir sur moi son mépris comme si je n'étais pas dans la salle, et bien franchement, je commence à en avoir marre d'elle.

— OK! OK! crie Yannik de sa voix impérieuse.

Il rassemble les papiers étalés devant lui, mécontent comme s'il ramassait le dégât d'un enfant.

— Nicolas... Je t'apprendrai rien en disant qu'on l'a déjà entendue, celle-là. Ça sort toujours de la bouche des novices.

— Je m'excuse, mais j'ai travaillé cinq ans chez...

Yannik lève la main et m'oblige au silence.

Toute ma vie, j'ai rêvé d'avoir ce charisme.

— Je vais parler franchement. Ton idée, je la trouve stupide et audacieuse. Stupide parce que Mégane a raison : c'est facile. Mais de mémoire, je ne connais personne qui ait osé exploiter le filon. Clément ?

— Eh bien… ça s'est vu pour les balais Swingers, quelque part en 2006. Je me limite au Québec, là.

— D'accord, mais au début du *spot*, c'est pas la femme qui donnait le balai à l'homme ? Et l'homme nettoyait ?

— De mémoire, j'ai pas d'autres exemples. Je peux vérifier.

— Vois-tu, Nicolas, moi aussi j'ai un garçon. Cinq ans. Et comme toi, j'aimerais ça qu'un homologue masculin s'occupe des affaires « de femmes » à l'écran.

— Yannik… intervient Clément.

Le directeur créatif continue sans sourciller :

— Tu proposes de mettre un homme dans notre *spot* télé ? D'accord. Soit t'es un débutant, soit t'es un génie. Et tu sais quoi ? J'aimais ton travail chez MédiaZONE. C'est toi qui gardais la boîte en vie avant sa descente aux enfers.

Ne sachant pas quoi répondre devant ce… compliment, je préfère la fermer.

— Je vais te demander une chose: es-tu prêt à mettre ta job en jeu pour ton idée?

Mégane serre les dents comme si elle venait d'entendre un curé dire «pénis» durant son homélie.

— Qu'est-ce que tu veux dire par là? que je demande.

Il répète, avec une courte pause entre chaque mot:

— Es-tu prêt à mettre ta job en jeu?

Ça ne pourrait être plus clair. «Réussis ou je te congédie.»

Yves observe son supérieur par-dessus ses lunettes. Mégane et Clément bougent leurs papiers avec leurs doigts et n'osent pas relever la tête.

Yannik est un directeur créatif respecté dans le milieu, et reconnu pour s'exprimer sans passer par quatre chemins. Cependant, je suis convaincu qu'il n'a jamais été aussi sévère avec un de ses employés.

Que me reste-t-il comme option? Si je réponds non, je me dégonfle. Ma réputation sera foutue. On rira encore de ma déconfiture dans dix ans.

Ne reste qu'à tomber dans son piège :

— Euh, oui.

— Parfait. Donc, Yves s'occupera du traitement visuel dès que Mégane aura fini de scénariser la commande du client. Sophie, fais-nous du repérage et trouve les accessoires nécessaires. Vas-y « classique ». Clément, avertis Mattel qu'on aura deux propositions à lui montrer vendredi. Nicolas, mets ton idée sur papier. Fais-nous une ébauche qu'on pourra projeter à la rencontre. Tu travailleras en parallèle avec Mégane. Aucune consultation n'est permise entre vous. On évite la pollution. Compris ?

Clément distribue les dossiers, et la réunion se termine sur cette note bizarroïde.

Tout le monde rejoint son poste de travail, sauf moi qui prends le chemin des toilettes avec la démarche d'un robot mal huilé, ma vessie étant sur le point d'exploser. Je passe devant le grand miroir et m'arrête, horrifié devant les ronds de sueur sous mes aisselles.

Et moi qui pensais avoir épaté la galerie avec mon aplomb.

Cette journée infernale s'est terminée avec un embouteillage, des *hot chicken*, des pleurs d'enfant malade, le soulagement de dire « bon dodo ! » à sa progéniture, et une savoureuse bière.

Appuyé contre le garde-corps de mon balcon, le visage refroidi par une brise qui transporte l'odeur de barbecues mal nettoyés, j'ouvre mon paquet de cigarettes, en prends une parmi les trois qui restent et l'allume. Voilà. Un feu de foyer après une journée de ski ne m'aurait pas autant réchauffé.

Deux sons m'apaisent dès que je les entends : le grésillement d'un œuf dans le beurre, et celui de mon briquet.

Mon besoin de nicotine comblé, je peux mettre mes énergies ailleurs. Par exemple, trouver une idée géniale qui me permettra de pourvoir aux besoins de mon fils.

Il me faut un nouvel angle. Merde. Qu'est-ce qui distingue les pères des mères, en dehors des clichés véhiculés par les médias ?

À valeur égale, si dans mon scénario je remplace la femme par l'homme sans rien ajouter, la version de Mégane va l'emporter haut la main sur la mienne. J'ai besoin d'un concept original. Juste assez pour convaincre le client et Yannik.

J'observe les voitures en bas. C'est la nuit. Le vent fait briller le bout de ma cigarette.

Une quinte de toux traverse l'entrebâillement de la porte-patio. Mon cœur se resserre. Je rentre, j'écrase ma cigarette dans l'évier, et mon fils recommence sa fanfare, comme si son mucus se mesurait au litre. Le bruit est râpeux, ça ne fait que s'aggraver depuis samedi. Je me demande si le sirop Asmorin n'est pas qu'un vulgaire placebo inventé pour rassurer les parents.

Il est temps d'analyser mes gestes, de mesurer mes paroles. C'est mal d'utiliser mon fils ainsi, mais s'il veut manger autre chose que du Kraft Dinner le mois prochain, il peut bien jouer les cobayes.

Je cours à la cuisine prendre une gomme à mâcher.

Sa toux s'atténue. Il pleurniche, et j'entends un mot que je comprends parfaitement à cette distance.

« Maman. »

Mes poils se dressent.

Merde.

J'attrape une cuillère et la bouteille d'Asmorin, légère, presque vide ; je me demande s'il reste une dose.

Je me rue vers la chambre de Mathis et fais crier les pentures en poussant la porte.

Dans la pénombre, mon fils de trois ans est assis sur son lit, larmes aux yeux, draps rabattus sur les genoux.

J'allume sa lampe de chevet, il se cache les yeux, et je m'assois près de lui.

— J'ai apporté du sirop.

— Ah non ! Pas encore. Non. Non !

— Ça va aller mieux après.

— Non ! Pas du sirop ! Nooon !

Je tâte son front. Pas de fièvre. Il renifle, je lui passe un papier-mouchoir sous le nez, et lui réagit comme si j'essayais de lui arracher les joues avec des pinces.

J'observe mon ustensile.

— Veux-tu prendre du sirop dans cette cuillère-là ou dans ta cuillère de Spiderman ?

Il fait une moue avec la petite babine à l'envers, puis répond :

— Spi… der… man…

Je lui explique que papa va aller chercher la cuillère de Spiderman, et qu'on va prendre le sirop après.

À la cuisine, je fouille le tiroir à ustensiles. La maudite cuillère n'est pas à sa place. J'ouvre le lave-vaisselle. Non plus. Saloperie.

J'en prends une ordinaire, plus petite, et retourne dans la chambre en cachant l'ustensile comme un bandit qui entre armé dans une banque. Je tamise la lampe et je fais couler de l'Asmorin dans la cuillère, en m'arrangeant pour couvrir le manche avec mes doigts.

Je la remplis à moitié. Je secoue la bouteille. Câlisse.

Mathis ouvre la bouche et j'y insère la cuillère tellement vite que j'accroche une dent au passage. Je me confonds en excuses, mais lui, il s'en fout.

— Dodo, maintenant, que j'annonce.

Sans me remercier, il se roule en boule et je le borde. Son silence sera ma récompense.

Trois cafés et deux cigarettes plus tard, je suis encore installé à la table de la cuisine, portable et cahier à croquis ouverts. J'aiguise mon crayon en regardant des publicités de Caregiver sur YouTube, tournées à différentes époques : n'y changent que les coiffures des comédiens, leurs vêtements et les décors.

Mon rituel avec Mathis ne m'a rien appris, je repars à zéro.

Je rabats l'écran du portable et me cogne, silencieusement, la tête sur la table.

Je repousse mon ordinateur et noircis quelques pages de mon cahier à croquis. Je recommencerai cette routine chaque soir jusqu'à vendredi. Mon compte en banque m'en remerciera. Pas mes poumons.

Du coup, j'observe mon carton de cigarettes vide, dernier déchet ajouté à la poubelle du salon.

« Mathis dort dur », que je pense.

J'observe ma montre et me demande si le dépanneur d'à côté est encore ouvert.

L'étui de mon portable en bandoulière, je pénètre dans un édifice bicentenaire au cœur du Vieux-Québec, un t-shirt absorbant sous ma chemise. Ma montre me rappelle que j'ai dix minutes de retard. J'accélère.

À la réception, on m'indique l'étage du siège social de Caregiver. Je fonce vers l'ascenseur et bloque la fermeture des portes avec mon bras. Les occupants s'entassent. « Huitième étage. » Je sors et, le cœur battant, cherche le local où doivent m'attendre Yannik, Clément et Mégane, les seuls membres de notre équipe avec l'entregent nécessaire pour rencontrer des clients.

Local 808... 810... 812. Voilà, j'y suis. Je reprends mon souffle, les mains sur les genoux, avant de tourner la poignée et d'entrer.

Au premier coup d'œil, cette salle me donne la chair de poule. Chaises antiques, table en chêne, candélabre, miroir dans un cadre que je devine être en or. Autant de gardiens contre l'influence de la modernité. Ça commence bien pour le p'tit designer.

Au bout de la table luxueuse attend John F. Mattel, le septuagénaire dont Internet m'a révélé le visage hier. Son regard de prédateur me paralyse une demi-seconde.

Deux individus dans la quarantaine l'accompagnent, l'air de se demander où ils sont.

Protocolaire comme toujours, Clément se lève et me présente à Mattel et à ses acolytes, pardon, à ses enfants. Apparemment, ils prendront les rênes de l'empire Caregiver l'an prochain. Aussi bien m'en faire des amis. Je distribue des poignées de main d'une vigueur à faire craquer les doigts. Seul Mattel répond à cette fermeté. Son sourire est défiant, son parfum sent l'expérience.

En se rassoyant, Clément reprend la conversation interrompue par mon arrivée : on parle d'un triomphe au golf, sujet qui fascine évidemment les vieilles canailles comme Mattel. Je reste concentré pour rire aux bons moments.

Il conclut son discours en coupant les coins ronds. Je ne suis pas dupe : Clément entretenait cette conversation pour camoufler mon retard. Il passe la parole à Yannik. Éloquent comme un politicien, ce dernier explique d'entrée de jeu la réflexion créative de T&B – qui n'a pas vraiment eu lieu – sur le « quinze secondes publicitaires » demandé par Caregiver lundi dernier.

En réalité, il ne fait que reformuler la commande, avec synonymes et jargonnerie. On boit ses paroles.

Yannik demande à Mégane de présenter son concept. Elle branche son ordinateur portatif à un projecteur, et sur le mur apparaît un diaporama PowerPoint d'allure professionnelle, orné du logo de T&B. Clément tamise la lumière et laisse s'exprimer la demoiselle.

Elle commence avec des mots vides sur l'importance des valeurs familiales et, par extension, des vertus du sirop contre la toux et de la place qu'occupe ce produit dans les relations qu'ont les parents avec leurs enfants. Elle prend la peine de faire ce détour parce qu'aujourd'hui, contrairement aux années 1970 et 1980, on ne vante plus les vertus des agents médicinaux incorporés aux sirops. Non, on vend quelque chose de différent aux femmes, soit la promesse d'être une bonne mère, à condition bien sûr qu'elles agissent quand leurs enfants sont malades, peu importe la manière, et que cela implique l'achat et l'administration d'un « jus épais et sucré » qui coûte la peau des fesses.

Comme diapositives, elle utilise des photographies pigées dans des banques d'images bon marché.

— Nous voyons d'abord l'enfant qui tousse, couché dans son lit. La scène est familière, on reste deux secondes sur ce plan.

Diapositive suivante.

— Arrivée de la mère de famille, avec une bouteille de sirop Asmorin. Une voix *off* dit : « La toux fait passer des nuits difficiles à votre enfant ? Heureusement, le sirop Asmorin n'est jamais loin. »

Elle appuie sur une touche. Plus cliché que ça, tu meurs. C'est exactement ce que Sophie a débité à la réunion : gros plan sur la bouteille d'où coule un liquide onctueux dans une cuillère. Une liste de symptômes apparaît.

— « Asmorin soulage l'irritation causée par la toux pendant huit heures. De quoi passer une bonne nuit. »

Bien formulé. Soulage l'irritation, mais pas la toux.

Sur une nouvelle image, la mère embrasse sa progéniture et quitte la pièce. L'enfant sourit, puis s'endort, comme s'il venait de gober un somnifère pour cheval. Titre en fondu : « Asmorin. Le sirop de docteur Maman. »

Mattel hoche la tête. Que pourrait-il faire d'autre ? Il a commandé une merde, Mégane lui a chié au visage. J'ai l'impression de revivre la catastrophe MédiaZONE à la puissance dix.

Clément pose ses coudes sur la table.

— As-tu des questions, John ?

Mattel dodeline de la tête. Ses enfants restent immobiles, on les croirait empaillés.

— On a déjà discuté du prix et des échéances, dit l'ancêtre. Il pourrait y avoir des chamboulements au calendrier. Rien de grave. On s'en reparlera ce midi.

Il me montre du doigt. Décharge d'adrénaline instantanée.

— Ce jeune homme a quelque chose à proposer, je me trompe ?

Je me pince la cuisse et m'éclaircis la gorge.

— C'est une ébauche, une variante du concept de Mégane, dis-je en essayant de brancher le câble du projecteur sur mon ordinateur.

Ma main tressaute. Saleté de fil !

Mégane garde une *poker face* pendant que je me dégonfle. Qu'elle doit être fière d'elle.

Voilà, je l'ai.

La diapositive-titre de mon diaporama apparaît au mur : « Le sirop Asmorin. Publicité télévisuelle de 15 secondes. Trudeau & Bernest. »

J'appuie sur la barre d'espacement, mon premier dessin s'affiche. Un enfant couché sur un lit, griffonné au crayon HB. Rien pour impressionner quiconque.

— Le début se veut familier. Un gamin tousse et fait pitié sans bon sens.

Une porte s'ouvre en animation rudimentaire. Un homme entre. Je fixe John Mattel dans le blanc des yeux en essayant de deviner s'il aime mon coup de crayon. Il a un visage impassible, alors je continue :

— Arrivée du papa du p'tit gars. Il s'assoit, lui flatte les cheveux de façon, euh... très virile. Le père est sexy, mais pas trop. Il est quand même chez lui, dans son linge mou. Il apporte une bouteille d'Asmorin.

Barre d'espacement. Gros plan du sirop qui coule dans une cuillère. En veux-tu des clichés, Mattel ? En v'là.

— Cette séquence est filmée au ralenti à soixante images par secondes. Apparition des trois symptômes combattus par Asmorin, avec des points de forme. On ne montre pas le gamin en train d'avaler le produit.

Le père quitte la chambre avec sa cuillère vide. Son fils se recouche et ferme les yeux.

Et maintenant, la finale.

La caméra fait un lent travelling vers la droite, révélant la décoration dans la chambre d'enfant. J'attends que l'animation se termine, les mains dans les poches, puis j'explique :

— Zoom sur la table de chevet, où il y a un joli cadre. À l'intérieur, nous voyons la photographie d'une femme dans la mi-trentaine. Souriante, innocente, belle coiffure. Heureuse. Un moment parfait, immortalisé sur le cliché. On arrête une seconde sur ce plan.

Prochaine et dernière diapositive.

— En fondu : « Asmorin, le sirop de docteur Maman. » Voilà.

Mattel se penche vers l'avant, les lèvres pincées, empourpré comme s'il s'étouffait avec une crevette.

— C'est une blague ?

Et moi, je reste debout à faire le pitre. Il ajoute :

— Expliquez-moi cette finale.

— C'est nécessaire ?

— Vous avez tué la mère, dit-il avant d'examiner la réaction de ses enfants. Il a tué la mère ?

Les descendants balbutient leur incertitude, n'osant contredire le vieux, alors Mattel revient à la charge, les deux mains sur la table.

— Avez-vous pensé aux consommateurs ?

— Ce n'est qu'une proposition, intervient Clément, tout en sueur. Nous voulions tester le concept avec un homme et son enfant. Nous pouvons, bien entendu, utiliser l'idée de Mégane.

— Je veux d'abord comprendre l'intention de ce jeune homme. Il vient chez moi et assassine mon icône. C'est grossier. On n'évoque pas la mort dans une publicité.

Ma mâchoire se débloque :

— Mon concept essaie de mettre un problème en relief.

— Celui de votre embauche ?

Acerbe, le bonhomme. Je garde mon sang-froid.

— Le sirop est donné par les femmes. C'est ça, le message de Caregiver. Mais il a fait son temps. Aujourd'hui, il y a des hommes qui l'achètent, votre sirop, monsieur Mattel.

— Je refuse qu'on parle d'un sujet comme la mort dans mes annonces.

— Elle est morte, la mère ?

— Votre personnage est clairement veuf. Il a posé un cadre près du lit de son fils. Le symbole est sans équivoque.

— Cet enfant pourrait avoir des difficultés à dormir. L'image de maman, c'est rassurant. Peut-être qu'elle est partie en voyage d'affaires ? Ou c'est un enfant du divorce. Des dizaines de raisons peuvent expliquer la présence du cadre.

— Cessez de patiner. Vous écrivez « Le sirop de docteur Maman » alors que la mère est absente. Quel effet auront ces mots auprès de notre auditoire, d'après vous ?

— Ça enverra un message... que le sirop Asmorin était une affaire de femmes. Cette pub évoque un legs.

— Alors elle est morte !

— Je parle au figuré !

Clément intervient comme pour séparer deux gamins qui se chamaillaient. Je reprends mon souffle, docile, et je baisse le ton :

— Un homme se réveille pour soulager son enfant. Pour vous, c'est clair : si maman n'est pas là, c'est qu'un char lui a roulé dessus.

— Pensez au consommateur. À notre réputation !

— Je m'en préoccupe, justement.

— Nicolas a raison, intervient Yannik.

OK. Celle-là, je ne m'y attendais pas.

Mattel se décrispe. Il ramène son dos, lentement, vers le dossier de sa chaise. Le cramoisi n'a pas quitté son visage.

— Rien n'est explicite, poursuit mon directeur créatif. On ne peut qu'espérer une réaction comme la vôtre chez le public. Imaginez. Des articles vont bourgeonner dans les journaux, sur les blogues et les réseaux sociaux. Ce quinze secondes est une étincelle qui alimentera un débat de société. Le rôle du père de famille change. Si le sujet fait l'actualité, on retrouvera le nom Asmorin partout.

John Mattel accueille la suggestion comme si on venait de déposer la carcasse d'une mouffette sous son nez.

— J'ai besoin d'y réfléchir, annonce le principal intéressé.

Clément et Yannik acquiescent et n'attendent pas plus longtemps pour rassembler leurs documents. Nous laissons des clés USB au centre de la table.

— Un dîner au Panache ? propose Clément en essuyant ses lunettes rondes avec un carré de soie.

Il s'adressait uniquement à Mattel.

— Pourquoi pas ? répond l'homme en soupirant, visiblement heureux d'en avoir terminé.

Nous échangeons de froides poignées de main et sortons au grand air, après nous être côtoyés en silence dans l'ascenseur. Clément et Mattel s'engagent vers leur restaurant fétiche en faisant claquer sur le trottoir leurs souliers à cinq cents dollars. Mégane s'éloigne vers le stationnement à l'autre bout de la ruelle, où sa voiture l'attend. J'ignore encore quelle impression lui a laissée cette rencontre. Mais j'ai mon idée.

Yannik boutonne son manteau et m'invite à marcher à ses côtés. Je ne suis pas dupe. Je sors une cigarette et essaie de l'allumer, malgré la ruelle qui me souffle son haleine de poubelles à trente kilomètres à l'heure.

— J'ignorais que tu fumais, dit-il en regardant le trottoir.

— J'ai arrêté.

Nous rejoignons une artère touchée par le soleil. Au lieu d'alimenter la discussion, je joue avec les clés dans ma poche.

— Mégane est une bonne personne, reprend Yannik.

— Pourquoi tu dis ça ?

— Tu as vu sa présentation ?

— J'étais là. Qu'est-ce qu'elle avait, sa présentation ?

À l'intersection, j'appuie sur le bouton du feu de circulation et nous attendons qu'apparaisse, de l'autre côté de la rue, le petit bonhomme blanc.

— Mégane sait répondre aux demandes du client, dit-il. Mais d'habitude, elle ajoute sa touche personnelle. Quelque chose qui fait un déclic, le *wow factor*.

— Un *wow factor* ? Pour du sirop ? Je pensais que Caregiver voulait du tout cuit dans le bec.

Yannik tergiverse. Il m'offre d'aller prendre un café dans une brûlerie au coin de la rue, et j'accepte même en sachant que c'est un raccourci vers la potence. Au comptoir, il se commande un latté et moi, un chocolat chaud.

On s'assoit devant la fenêtre.

— Tu sais ce que je pense ?

Je lève les épaules sans quitter ma facture des yeux. Il s'explique :

— Je pense que Mégane a bâclé son concept. Volontairement.

Je touche le bord de ma tasse. Pourquoi aurait-elle fait une telle chose ?

Il attend que je déduise la suite, on dirait. Je me remémore alors notre rencontre du lundi, notre discussion virulente et sa conclusion qui m'a laissé au bord du précipice.

Yannik est-il en train d'insinuer que lorsqu'il m'a demandé de jouer mon emploi, c'était uniquement pour terroriser mes collègues ? Pour qu'ils craignent de porter mon renvoi sur leurs épaules ? Pour qu'ils présentent un concept ordinaire, voire médiocre, pour que soit valorisé mon « docteur Papa » ?

S'il prétend que ma lionne de collègue a agi par pure bonté, permettez-moi d'en douter.

— Tu vas voir, ajoute-t-il, quand on apprend à connaître Mégane, on la trouve sympathique.

Je prends ma première gorgée et me brûle la langue. La douleur est néanmoins atténuée par le bonheur de savoir que mon emploi est probablement sauf.

Du coup, j'ai une pensée pour Mathis. Quel soulagement ce sera de lui annoncer la bonne nouvelle, ce soir, après la garderie. Et je sais qu'en réponse, mon fils ira s'asseoir sur le divan, montrera la télé du doigt et dira : « Merci, papa, de travailler dur pour assurer notre sécurité financière. »

En langage d'enfant, le mot « Dora » peut signifier bien des choses.

— Et Mattel ? Tu penses que je l'ai convaincu ?

Le regard de Yannik me répond, et je me sens idiot d'avoir posé la question.

Le grain de riz

Michel J. Lévesque

Pour Simone

5 juillet 2005

« D'une main maladroite, tu as tenté de cueillir les battements fragiles de la vie entre tes doigts, mais arrachée à la terre, suspendue à la mort, elle s'éloigne. »

Extrait de *Mon testament*,
Michel Cardinal, 2006

« Il fait froid, papa... Ferme pas les yeux», ne cesse de répéter une petite voix dans mon rêve. Un rêve où défilent sans raison des princesses, des fées, des sirènes et des ballerines.

Je m'appelle Michel et j'ai trente-quatre ans. Et je suis seul. J'ai quitté ma blonde. Je lui ai brisé les ailes en plein vol et elle a plongé droit vers la mer. J'ai eu peur qu'elle se noie, mais c'est moi qui ai ouvert la bouche, cherchant de l'air à respirer. Je n'ai trouvé que de la bière, que j'ai avalée à grandes lampées.

On est en été. Il fait chaud. Je pisse de la bière par les pores. Elle me manque, Marie. Elle me manque, mais en même temps je suis heureux d'être seul, heureux de pouvoir me saouler en paix. Depuis le jour où elle est partie, je bois comme un propriétaire de malterie. Je n'en finis plus d'ingurgiter des litres et des litres de bière. Tous les matins, j'étends ma carcasse amaigrie sur le balcon de mon misérable trois et demi. Le soleil se charge de me rôtir la couenne, gratuitement.

Ivre, je m'endors sur le balcon. Lorsque je me réveille, je constate que j'ai la peau aussi rouge qu'une borne-fontaine. Ma chair est carbonisée, je suis juste à point. Étonnant que ces saletés de corneilles ne se soient pas servies. Une bière s'est renversée et s'est mêlée à ma tignasse. Je me relève, le plus lentement possible, et m'appuie un instant contre la porte-fenêtre. Mon cœur bat dans ma tête et ma langue est aussi sèche qu'un trottoir.

Le nom de Marie revient sans cesse sur mes lèvres, comme si sa simple évocation allait soulager ma gueule de bois. J'ai soudain la nausée. Je vais dégueuler. Je rentre et me précipite à la toilette. J'ai l'impression que je vais crever tellement je dégueule. La cuvette en est la première surprise ; après le premier jet, elle me laisse tomber. La chasse d'eau ne fonctionne plus. La colère me gagne. Je vais finir par tout foutre en l'air. Mais je suis trop étourdi pour ça. La pièce tourne autour de moi. Tout à coup, je suis le centre de l'univers, l'œil du cyclone, et ça n'a rien de plaisant. Mes genoux faiblissent. Le plancher se rapproche. Les murs me bousculent, se liguent contre moi, s'unissent pour me jeter par terre. La dernière chose dont j'ai conscience c'est de me prendre le bol des chiottes sur la gueule.

Une sonnerie. Persistante. Celle du téléphone. J'ouvre les yeux. Il fait trente degrés à l'extérieur mais je grelotte à m'en faire claquer les tendons. C'est à cause de ce damné coup de soleil. La température de mon corps chute pour contrer l'ébullition de mon épiderme. Je me relève avec la souplesse d'un grand brûlé. Le téléphone continue de hurler dans le salon. J'attrape un drap dans l'armoire de la salle de bain et le jette sur mes épaules. Je suis frigorifié. En deux pas, je traverse l'appartement et saisis le combiné du téléphone.

— A-a-allo ?

Mes mâchoires jouent des castagnettes.

— Ça va ?

— Qui-qui-qui est-ce ?

— C'est Marie. Mon Dieu, je t'entends claquer des dents. Tu grelottes ou quoi ?

— D-dans le-le-le mille !

— Écoute, j'ai quelque chose à te dire...

Elle hésite un moment.

— J'aimerais qu'on se voie. Ce soir, chez toi, ça te dirait ?

Je doute que ce soit une bonne idée.

— Tu dis rien ? me demanda-t-elle, impatiente.

— Éc-c-c-oute...

— On se voit, oui ou non ?

Je ne souhaite pas me quereller avec elle. La seule chose dont j'ai envie, pour l'instant, c'est de terminer cet appel et d'aller me coucher. Je finis donc par céder :

— D'ac-c-c-ord...

Elle me dit qu'elle sera chez moi à dix-neuf heures, puis raccroche. Je me dépêche ensuite d'aller retrouver la tiédeur de mon lit. Je me glisse entre les draps et me recroqueville sur moi-même, les genoux sous le menton. Je cesse de grelotter. Mes muscles se détendent et ma mâchoire se relâche. Ma tête est lourde de fièvre. Je vais m'endormir, c'est certain, et j'en jouis d'avance.

15 octobre 2008

Trois ans plus tard

« Au moment de l'éveil, l'enfant est caressé par des vents sans lendemain, qui manipulent sous leurs doigts fuyants des destins secrets. »

Extrait de *Serena a trois vies*,
Michel Cardinal, 2010

Il y a des complications. Son petit cœur bat trop vite. Elle veut sortir, mais n'y arrive pas. Sa mère et toi avez tellement hâte de la voir, de la connaître. Vous lui parlez depuis plusieurs mois déjà. Vous tentez de la rassurer. Vous lui dites qu'elle est attendue, qu'elle est votre trésor, que vous l'aimez plus que tout. Elle est votre enfant chérie, celle que vous appelez affectueusement « le petit grain de riz ». Et c'est aujourd'hui qu'elle doit vous être présentée. Il y a presque deux jours maintenant que vous êtes à l'hôpital, mais l'heure de la rencontre avec votre fille est retardée.

Les infirmières et la gynécologue essaient tant bien que mal de vous rassurer, mais il y a son cœur. Le cœur de Simone, qui bat de plus en plus vite. Tu ressens sa détresse dans ton propre corps, dans ton être tout entier : il lui tarde de vous retrouver. Elle lutte pour naître, mais quelque chose fait barrière. Est-ce toi ? Est-ce la vie que tu lui proposes ?

Tu as pourtant arrêté de boire il y a deux ans. Ça n'a pas été facile. Après quelques visites chez les Alcooliques anonymes, tu as décidé d'affronter seul tes démons. Et tu y es parvenu. Mais c'est un combat que tu dois mener chaque jour. Car l'alcoolisme est une maladie. Une maladie qui ne peut être vaincue que par le malade lui-même. Et malade, tu l'étais... tu l'es encore.

Tu as enfin terminé ton roman. Heureusement pour toi, il a connu un certain succès, ce qui t'a permis d'en écrire un autre, puis un autre. Tu vis de ta plume. Tu ignores pour combien de temps encore, mais c'est si rare chez les auteurs que tu as bien l'intention d'en profiter.

Lorsque vous vous êtes mariés, Marie était déjà enceinte de Simone. Ce fut donc un mariage à trois. Serments et promesses furent échangés. Pour le meilleur et pour le pire. Pendant les mois qui ont suivi, Marie et toi avez préparé l'arrivée de Simone, sans jamais savoir qu'elle verrait le jour dans la violence. La violence ressentie par un petit corps fragile arraché aux entrailles de sa mère. Car c'est pourtant ce qui se produit : étendue sur la table d'opération, Marie donne naissance à Simone par césarienne. À ce stade, vous n'aviez plus le choix. Le cœur de Simone menaçait de s'arrêter si vous attendiez encore.

Dès que tu la vois apparaître, tu fonds en larmes. Pour la première fois de ta vie, tu pleures réellement de joie. Une joie profonde, indicible, qui ne peut s'exprimer que par un relâchement vif et brutal. Durant ces quelques secondes, tu cesses de jouer tout rôle. Tu es toi... rien que toi. Tu es nu et pur toi aussi, comme au premier jour de ta vie. Ta chair a donné naissance à la chair. Ton âme s'est scindée pour en créer une autre. Cette nouvelle âme vaut à tes yeux beaucoup plus que tous les miracles réunis.

Simone est là, avec vous. Elle accepte la vie que vous lui offrez, sa mère et toi. Tu es tellement heureux et soulagé. Un seul de ses cris suffit à t'éloigner de la mort. Et tu reprends vie. Une vie dont tu comprends enfin le sens. Quelqu'un, quelque part, t'a entendu et répond à tes questions simplement en t'accordant cet enfant. Un enfant que tu aimes depuis toujours et que tu chériras jusqu'à la fin des temps. Les romans, l'alcool, ta propre personne, rien de cela n'a d'importance désormais. La petite fille aux poings fermés que l'on dépose dans tes bras est la réponse à tous les mystères.

5 juillet 2005

Trois ans auparavant

« Entre ses mains inconnues et récemment écloses, tu disperses tes rêves. Patiente et belle, la vie embrasse tous les tiens, après un grand et unique frisson. »

Extrait de *La vie fantastique*,
Michel Cardinal, 2009

Six, c'est exactement le nombre de bières que j'ai consommées depuis mon second réveil. Il en reste six autres dans le frigo, plus la bouteille de Jack Daniel's et les canettes de bière importée que je garde en réserve. Au cas où. C'est comme ça tous les soirs. Enfin presque. Je bois beaucoup. Beaucoup trop. L'abus d'alcool, de cigarettes et de malbouffe est en train de me tuer à petit feu. Mais je n'en ai rien à faire ; l'important, c'est le roman, celui que j'essaie d'écrire. Celui pour lequel j'ai largué blonde et boulot.

On cogne à la porte.

Marie. J'avais oublié qu'elle souhaitait me voir.

— T'as bu ? me demande-t-elle en entrant.

— Ça te surprend ?

Elle ne répond pas, mais se dirige vers la table de la cuisine, où repose la caisse de bière. Celle-ci est remplie de bouteilles vides.

— T'es bien avancé, on dirait, observe-t-elle en comptant les bouteilles.

— T'en veux une ?

Elle relève un sourcil. Marie n'aime pas la bière. Heureusement pour moi; les alcoolos n'aiment pas partager.

— Et ce roman, il progresse ?

— Pas si mal, que je réponds en m'affalant sur le canapé.

J'habite un minuscule appartement qui, en juillet, devient une véritable fournaise. Je déteste profondément ce trou à rats, mais c'est tout ce que je peux m'offrir pour le moment. Je n'ai plus de boulot. J'ai démissionné il y a six mois. Je suis nul comme travailleur, l'ai toujours été. Je n'ai qu'une obsession dans la vie, un seul vrai talent : inventer des histoires. Boire et écrire sont les seules activités que je fais avec une véritable passion. Pour moi, tout le reste est sans valeur.

— Et tes finances, elles vont bien ? demande Marie en me rejoignant sur le canapé.

Pour écrire ce roman, j'ai vidé mon compte en banque et j'ai encaissé mes REER. Il me reste suffisamment d'argent pour tenir encore quelques mois, le temps de terminer mon histoire. Une histoire que je veux parfaite. Il me faut tenter le coup. Faire ce sacrifice pendant que la vie me le permet encore. Jouer le tout pour le tout, en sachant que je ne peux rien faire de mieux. Puisque je suis incapable de garder un emploi, il me faut miser sur moi-même et sur ce talent unique que je crois posséder.

— Je vais survivre, je réponds.

— Pas si tu continues à boire comme ça. Tu as le teint vert. Tu vas mourir si tu ne te reprends pas en main.

Entendre parler de la mort, ça me donne toujours soif. Je vide ma septième bière et la dépose sur la caisse de bois qui me sert de table de salon.

— Tu dramatises toujours, dis-je.

Je fais une pause, puis demande :

— De quoi voulais-tu me parler ?

— Je m'inquiète pour toi, répond Marie en posant une main sur ma cuisse.

J'acquiesce, sans grande conviction.

— D'accord, mais en quoi ça me regarde ?

Elle retire sa main. La compassion sur son visage est remplacée par la colère.

— Tu ne penses jamais aux autres. Tu fais quoi de tes parents ? de moi ? Tu dis m'avoir laissée tomber pour écrire ton maudit roman, mais c'est pas vrai. C'est parce que tu voulais recommencer à boire. Tu savais très bien que je ne le supporterais pas !

— Arrête…

— Je croyais qu'on allait se marier, avoir des enfants !

— Marie, sérieusement, tu me vois en père de famille ? Je peux rien apporter à un enfant. J'ai rien à donner. Je suis beaucoup trop égoïste.

— Pose ta main sur mon ventre, dit Marie.

— Quoi ?

Elle prend ma main et la pose sur son ventre.

— T'es pas enceinte au moins ?

— Non, répond-elle, mais j'aimerais bien.

Incapable d'envisager une telle éventualité, je me lève et m'éloigne. « Il fait froid, papa… Ferme pas les yeux », dit soudain la petite voix inconnue dans ma tête.

— Hein ?

Marie me fixe dans les yeux. Elle ne comprend pas. Je lui demande :

— C'est toi qui as parlé ?

— Non.

« Il fait froid. J'ai peur », répète la voix.

— Michel…

— Non, non, non, ne fais pas ça, dis-je à Marie en me décapsulant une autre bière.

Mais elle ne me laisse pas me défiler.

— Tu ne veux pas d'enfants ?

J'avale la moitié de ma bière sans la quitter des yeux, puis désigne l'écran d'ordinateur sur lequel apparaît une page de mon roman.

— Marie… je suis un enfant. Et ce roman-là, c'est mon seul univers.

— Ton seul univers ? répète-t-elle en retenant ses larmes.

— Tu m'as bien compris.

22 janvier 2013

Huit ans plus tard

« L'enfant naît sans compromis; il entend des voix et des notes mélodieuses, puis une musique sans frontière. Vers là-bas, plus loin, il y a un mouvement de rire, puis un grand coup d'éclat. »

Extrait de *Poésie en neuf mois*,
Michel Cardinal, 2008

Seulement quelques minutes se sont écoulées depuis votre départ de la maison.

— Papa ?

Simone a quatre ans maintenant.

— Oui ?

— Je t'aime.

Tu souris en observant son petit visage dans le rétroviseur.

— Moi aussi, ma belle.

Le mois de janvier. Il fait froid et il neige abondamment. Tu as toujours détesté l'hiver. À vrai dire, tu détestes l'inconfort, et l'hiver, tu es inconfortable. Pour toutes sortes de raisons. La principale, c'est que tu n'aimes pas conduire sur des routes glacées ou enneigées. Tu as l'impression que c'est la nature qui décide du trajet et de la façon dont il se déroulera. On peut éviter bien des problèmes en se montrant prudent, songes-tu, mais la prudence n'est pas garante de tout.

Vous êtes en retard. Le cours de danse de Simone débute à dix-huit heures, dans moins de vingt minutes. Le trajet à lui seul en nécessite plus de trente. Tu appuies sur l'accélérateur, en sachant que c'est une erreur. Tu perds la maîtrise de la voiture une première fois, mais tu réussis *in extremis* à exécuter une manœuvre qui vous ramène sur la route. Ton cœur bat la chamade. Tu as eu peur. Simone aussi, et c'est ce qui te contrarie le plus.

— Ça glisse, papa ?

Tu lèves les yeux vers le rétroviseur et souris à Simone pour la rassurer.

— Oui, mais tout va bien maintenant.

Lorsque tu braques de nouveau ton regard sur la route, tu constates qu'une voiture circulant en sens inverse fonce vers la vôtre. Tu ne l'as pas vue avant, à cause des rafales et de l'averse de neige qui causent de la poudrerie. Sans réfléchir, tu donnes un coup de volant pour l'éviter et tu y parviens, mais l'opération est si brusque que votre véhicule perd toute adhérence et file droit vers le fossé. Même si l'amoncellement de neige réduit la force de l'impact, elle n'empêche pas la voiture de piquer du nez et d'effectuer plusieurs tonneaux.

Ce sont les cris et les pleurs de Simone qui te font reprendre connaissance. La voiture a atterri sur le toit. Simone et toi avez la tête à l'envers et n'êtes retenus à vos sièges que par les ceintures de sécurité.

— Papa ! Papa ! Papa ! hurle Simone à l'arrière.

Les cris paniqués de ta fille sont accompagnés de sanglots. Tu voudrais lui répondre, lui dire que tout va bien, qu'il ne faut pas avoir peur, mais tu en es incapable. Tu ne sens plus d'air dans tes poumons. Une pression douloureuse s'exerce sur ta poitrine et tes côtes te font atrocement souffrir. Tu comprends pourquoi en apercevant le volant de la voiture qui est à demi enfoncé dans ton thorax. Ton cœur te fait mal à chaque battement. Tu as l'impression qu'il va défaillir et s'arrêter. Non, pas maintenant.

5 juillet 2005

Huit ans auparavant

« On peut faire de la poésie, créer de grandes œuvres littéraires avec de longues phrases et de grands mots qui n'en finissent plus, mais le plus important, c'est de profiter du temps qui nous est alloué avec les gens qu'on aime, avant que tout ne s'arrête. C'est la vie, sans ambages ni fioritures. »

Extrait de *Danse, Simone, danse*,
Michel Cardinal, 2012

— T'es incapable d'aimer, c'est ça ton problème.

Toujours debout dans la cuisine, l'air désinvolte, à la limite de l'impertinence, je songe que la bière n'a jamais été meilleure.

— Crois ce que tu veux, Marie.

— J'haïs ça quand tu bois. On dirait que tu te fous de tout.

J'éclate de rire devant son ignorance.

— C'est pas seulement quand je bois. C'est toujours comme ça. Je me fous des gens, et je m'en porte très bien.

Marie secoue la tête, assurément de dépit.

— Tu vas finir tes jours tout seul.

— Peut-être. Mais j'aurai toujours mes romans.

— Et ils vont te servir à quoi, tes romans, quand tu seras mort ?

— À ce que personne ne m'oublie. Mes histoires vivront toujours.

— Pour qui ?

— Pour les générations futures.

Cette fois, c'est Marie qui s'esclaffe.

— Les générations futures ? Pas celles de tes descendants, en tout cas !

Je lui laisse le temps de reprendre son sérieux, puis déclare :

— *Le Lac des cygnes*.

— Quoi, *Le Lac des cygnes* ?...

— Toi qui connais si bien Tchaïkovski, tu ne sais pas que la première version de son ballet a été un vrai désastre ? Depuis, on danse *Le Lac des cygnes* dans tous les pays et sur les plus grandes scènes du monde. Malheureusement, Tchaïkovski est mort avant de savoir que son œuvre allait connaître un tel succès. Reste qu'on se souvient encore de lui aujourd'hui. Il est devenu immortel.

— Attends... es-tu en train de te comparer à Tchaïkovski ?

— Marie, tu fais exprès, là...

— Sais-tu, toi, qu'il a tout d'abord composé ce ballet pour les enfants de sa sœur ?

Encore les enfants. Bon, ça suffit, j'en ai marre. En acquiesçant mollement et sans le moindre intérêt, j'espère lui faire comprendre que je n'ai plus envie d'en parler.

— Tant qu'à être dans le sujet... ajoute Marie, défiante. Nadejda von Meck a partagé quatorze ans de sa vie avec Tchaïkovski. Sais-tu ce qu'elle lui a écrit un jour ? « Cher compagnon, avez-vous aimé ? Il me semble que non. Vous aimez trop la musique pour aimer une femme. »

— OK, j'ai compris. Content de t'avoir revue, Marie, mais là je dois travailler.

— Travailler sur ton fameux roman ? Celui qui doit t'apporter la gloire ?

— C'est ce que j'espère.

— C'est quoi le titre ?

J'hésite à le lui révéler.

— Alors ?

— *Mon testament*.

Surprise, elle hausse tout d'abord les sourcils, puis me gratifie d'un large sourire ironique.

— Ça augure bien. J'espère qu'il se vendra mieux que le dernier. Tu as fait tant de sacrifices pour en arriver là...

Son sarcasme est palpable. Des sacrifices ? Ouais, peut-être, mais pas ceux qu'elle a en tête. Résolu à ne pas mordre pas à l'hameçon, je me dirige vers la porte d'entrée.

— Pas envie de me disputer avec toi, lui dis-je en ouvrant la porte. J'ai des trucs plus urgents à faire.

— T'es un gars tellement occupé, rétorque-t-elle.

— Au revoir, Marie.

Sans rien ajouter, elle sort de l'appartement. Une fois le seuil franchi, elle se retourne et me fait face.

— Pas question de prendre ta voiture si jamais tu manques d'alcool, hein, Tchaïkovski ?

— J'y vais toujours à pied.

Elle me fixe encore un moment, puis baisse la tête et s'éloigne dans le couloir menant à l'extérieur.

— Marie ?

— Oui ?

— Pourquoi tu m'aimes ?

Elle semble étonnée de la question.

— Parce je sais que tu joues un rôle. Mais que ce n'est pas le bon.

Elle aurait pu profiter de l'occasion pour me servir une vacherie, mais ne l'a pas fait. Du moins, c'est ce que je suppose. J'ai envie de lui répondre que tout le monde joue un rôle. Et aussi que Tchaïkovski était homosexuel, alors pas étonnant que Nadia von Truc ait trouvé le temps long en sa compagnie. Mais je n'en fais rien. Dans l'état où elle est, Marie pourrait croire que je suis moi-même gai, ce qui n'est pas le cas.

Elle m'adresse un dernier sourire avant de rependre son chemin. Je referme la porte et m'avance vers la table vitrée sur laquelle repose mon ordinateur. J'examine un moment l'écran allumé, puis réalise que je n'ai pas écrit un seul mot depuis trois jours. Cette observation me donne envie de boire. Enthousiaste, j'attrape une bière fraîche dans le frigo et vais m'étendre sur le canapé.

— Papa... dis-je à voix haute pour mesurer l'effet que cela a sur moi.

Rien. *Nada*. La seule pensée d'avoir un enfant me fait rire. Comment pourrais-je aimer quelqu'un d'autre que moi ? Ce rire me paraît soudain forcé. Ne devrais-je pas ressentir de la tristesse en ce moment plutôt que du soulagement ? Non. Car, même si je suis seul, je ne permettrai pas qu'on m'oublie. Jamais.

La température se refroidit d'un coup, ce que je trouve étrange en cette chaude journée. Une brise rafraîchissante traverse mon petit appartement et me fait grand bien. Fatigué et ivre, je ferme les yeux et m'endors sur le canapé, en espérant retrouver dans mes rêves tous les personnages de mes univers romanesques. Mais la seule personne qui m'accompagne dans le sommeil, la seule dont je me souviendrai au réveil, est une jeune fille souriante, vêtue de blanc, qui danse et qui danse.

22 janvier 2013

Huit ans plus tard

« Son rire suffit à m'émerveiller. Un rire joyeux et franc. Un rire de bonheur paisible, qui n'est entaché d'aucun tourment. Un rire d'enfant si pur qu'il fait naître des fées. »

Extrait de *Danse, Simone, danse*,
Michel Cardinal, 2012

La route glacée. L'autre voiture. L'accident.

Le sang qui afflue dans ta tête.

Michel, tu ignores si ta fille est blessée. Tu pries pour qu'elle ne le soit pas. Tu aimerais tellement prononcer son nom, mais rien ne sort de ta bouche, à peine un faible souffle. L'image de Marie s'impose alors à ton esprit. Marie, ton amie, ton amour. Comme tu regrettes de ne pas avoir passé suffisamment de temps avec elle. « Pose ta main sur mon ventre », te murmure-t-elle à l'oreille. Tu donnerais n'importe quoi pour encore l'entendre dire qu'elle vous aime, Simone et toi.

— Papa, j'ai peur !

Tes yeux dans le rétroviseur rencontrent ceux de ta fille. Elle est terrifiée. Tu lui souris malgré ta douleur et dans ton regard se lit tout l'amour que tu as pour elle. Elle cesse un instant de pleurer et te fixe avec ses beaux grands yeux remplis de questionnements et de crainte. *Tu vivras, Simone*, te dis-tu. *Et tu feras de ta vie quelque chose de fantastique*.

Tu repenses alors à cette nuit de décembre, comme tu le fais chaque fois que tu as besoin de réconfort. Simone t'a appelé de sa chambre. Elle avait peine à trouver le sommeil tant ses jambes lui faisaient mal. Des douleurs de croissance, as-tu supposé. Tu te souviens d'avoir massé ses cuisses, ses genoux et ses mollets pour la soulager. À un moment, tu as posé ta tête sur le matelas, près de son ventre, tout en continuant de frictionner ses membres endoloris. Étendue dans son lit, les yeux entrouverts, elle a posé sa petite main sur ta tête et a caressé tes cheveux. Lentement, avec précaution et tendresse. Pour toi, ça restera le plus beau moment que vous avez partagé. Un père et sa fille manifestant leur affection mutuelle en silence, sans avoir besoin de mots. Un amour sincère et inconditionnel, à l'épreuve de toutes ces promesses que la vie ne sait tenir. *Simone, je suis Michel, ton papa, et je t'aimerai toujours, quoi que tu fasses, quoi que tu deviennes.*

D'autres souvenirs remontent à la surface. Des souvenirs de contemplations silencieuses. Tu aimes la regarder dormir, et danser. Chaque mélodie est pour elle une occasion de démontrer son talent. Dans la piscine, elle nage avec la grâce d'un petit poisson. Elle maîtrise sa peur et parvient à mettre sa tête sous l'eau. Elle en est très fière. Le dessin, la peinture, elle ne s'en lasse pas. Le soir, avant le dodo, elle tient à son histoire. Un livre qu'elle choisit elle-même dans sa bibliothèque. Parfois un livre de princesses ou de fées ou de sirènes, mais le plus souvent, un livre de ballerines.

Papa est là, mon amour, songes-tu alors que tes yeux se remplissent de larmes. *Papa est là*. Tu sais qu'il ne reste plus beaucoup de temps et cette certitude te déchire. Tu voudrais la voir grandir, assister à son mariage, bercer tes petits-enfants, mais la vie, la tienne, en a décidé autrement.

Ta plus grande peur, là, tout de suite, c'est qu'elle t'oublie. Qu'elle ne sache plus qui tu étais, que ton visage finisse par se dissiper dans son esprit.

Mais soudain, tu sais que ça n'arrivera pas. Malgré la mort qui rôde, tu gardes espoir. Car pour te sauver de l'oubli, il y aura toujours cet unique grain de riz.

Que lui arrivera-t-il après ton départ? Quelqu'un trouvera-t-il la voiture? Sera-t-elle secourue avant de mourir de froid? Il y a peu de gens sur les routes. Mais il y a l'autre voiture, celle qui roulait dans l'autre sens... Peut-être que le conducteur s'est arrêté? À moins qu'il ait bu? *Maudit alcool!* rugis-tu intérieurement tout en implorant le ciel pour que ce ne soit pas le cas. Non, il est trop tôt... personne ne boit à cette heure, te dis-tu. Mais c'est faux et tu le sais très bien, car tu étais l'un de ceux qui boivent à toute heure du jour, sans se soucier des conséquences.

— Papa, j'ai froid... et j'ai mal à la tête.

Tes paupières se font lourdes à présent et tu te mets à grelotter. Tu te bats pour rester en vie, mais le combat est trop difficile. Toujours muet, tu ne quittes pas ta fille des yeux. Alors que ta vie se termine, tu continues à lui sourire, pour la rassurer. Parce qu'elle est la chair de ta chair. Parce qu'elle est une fraction de ton âme. Parce que la fillette aux poings fermés que l'on a un jour déposée dans tes bras est l'univers tout entier.

— Il fait froid, papa... Ferme pas les yeux.

Mais le froid, tu ne le ressens plus. Il n'y a que les ténèbres à présent. Et au loin, cette jeune danseuse au sourire magnifique, vêtue de blanc et portant des chaussons, qui enchaîne arabesques, cabrioles, grands jetés et révérence sur la musique de Tchaïkovski. Elle danse et danse, sans répit, sur une scène illuminée.

38 kilomètres

Patrick Senécal

Nous étions pourtant convaincus d'avoir fait ce qu'il fallait pour que tout se déroule sans heurts. Nous avons préparé notre garçon et notre fille deux ans à l'avance, annonçant dès 2009 notre déménagement à Montréal durant l'été 2011. Nous avons attendu que notre plus vieux termine sa sixième année, croyant que la transition vers le secondaire serait un bon moment pour lui. Nous avons promis aux enfants qu'ils choisiraient eux-mêmes les couleurs et les meubles de leur chambre. Nous leur avons juré qu'ils pourraient voir leurs camarades de Mont-Saint-Hilaire le plus souvent possible. Nous avons fait de notre mieux, et Romy a plutôt bien réagi.

Mais pas Nathan.

Pour notre fils, ce déménagement était inadmissible. Perdre son cercle d'amis le bouleversait.

Il ne se révoltait pas ouvertement, mais son comportement moins chaleureux qu'à l'accoutumée affichait clairement sa position. Lorsque nous avons acheté la maison, il a refusé de nous accompagner à chacune des visites, prétextant toujours de vagues raisons qui étaient autant de preuves de son déni.

Nous étions en mai 2011 et le grand départ était prévu pour le 30 juin. À ce moment-là, je lisais un roman, *L'Enfant noir* de Camara Laye, dans lequel un jeune Africain doit subir un rite de passage. Cette lecture m'a fait beaucoup réfléchir. J'ai songé à notre société moderne qui ne proposait plus vraiment de rituel similaire à nos adolescents. J'ai songé à mon gars de douze ans qui était sur le point de vivre d'importants changements.

Et j'ai eu une idée.

■ ■ ■

— Un quoi?

— Un rite de passage. C'était pratique courante dans certaines tribus africaines. On circoncisait le garçon à froid, on l'abandonnait une nuit dans la jungle...

— Tu... tu veux me couper le prépuce dans la forêt ?

— Mais non, on pourrait faire quelque chose de moins... disons, intense. Mais il faudrait que ce soit quand même un défi pas trop facile. J'ai pensé qu'on pourrait partir d'ici et marcher tous les deux jusqu'à notre nouvelle maison de Montréal, que t'as pas encore vue d'ailleurs.

— À pied ?

— Oui. On pourrait suivre la voie ferrée qui longe la 116, en tout cas pendant une bonne partie du trajet. On coucherait le soir dans un hôtel et on terminerait ça le jour suivant.

— ...

— On aurait chacun cinquante dollars pour tous nos besoins, sauf l'hôtel que je paierais seul et à part. C'est toi qui déciderais où on mange, quand on s'arrête, quel hôtel on choisit... Tu gérerais toi-même ton argent, et si, après la première journée, t'avais plus de sous, tu boufferais plus rien jusqu'à notre arrivée le lendemain.

— ...

— Ça représente 38 kilomètres.

— ...

— Qu'est-ce que t'en penses ?

— Pourquoi tu veux qu'on fasse ça ?

— Je te l'ai dit, c'est un rite de passage.

— Pis ça fait quoi, un rite de passage ?

— Faut en faire un pour comprendre. Alors ?

Il était grand pour son âge. Ses longs cheveux châtains couvraient une partie de ses yeux espiègles et songeurs à la fois. Il a frotté son nez retroussé (le même que celui de sa mère), a haussé une épaule, vaguement amusé.

— Mouais... Ouais, pourquoi pas ?

▬ ▬ ▬

En ce samedi du début du mois de juin, le ciel était dégagé, le soleil brillait, mais sans être accablant; bref, on n'aurait pu demander meilleures conditions pour notre expédition. Vers dix heures, munis de nos sacs à dos, nous avons embrassé Sophie et Romy (cette dernière, qui terminait sa cinquième année, était un peu jalouse, mais sa mère lui a promis qu'elles accompliraient quelque chose de semblable l'an prochain), puis nous sommes partis, de bonne humeur.

— P'pa, pourquoi on a apporté ma doudou ?

— Parce que tu dors toujours avec depuis que tu es bébé.

— Ouin, je sais, mais je peux m'en passer une nuit, franchement... Pis je pensais justement à la jeter ces temps-ci, tu te souviens ?

— Oui, mais on en aura besoin.

— Pourquoi ?

— Tu vas voir.

0,8 km

Notre premier arrêt s'est fait assez rapidement : l'école primaire de mon fils. J'ai sorti ma caméra et ai filmé Nathan avec le bâtiment à l'arrière-plan, en lui demandant quelles impressions il gardait de cet établissement qu'il quitterait dans quelques jours. Il a joué le jeu, affirmant que ses deux dernières années de primaire compteraient parmi ses meilleurs souvenirs de Mont-Saint-Hilaire.

— Qui a été ton enseignante préférée ?

— Elles étaient pas mal toutes *nice*... (pause) Peut-être madame Dominique, que j'ai en ce moment...

— Pis celle que t'as aimée le moins?

— Hmmmm... (pause) Il y en a pas vraiment, là...

— T'as la mémoire courte...

— Ouin, je le sais, mais... Dans le fond, elles étaient toutes correctes.

Il a fixé de nouveau l'école, en triturant un petit morceau d'herbe qu'il mâchouillait.

Au bout d'une centaine de mètres, nous avons atteint la voie ferrée, qui s'étendait à perte de vue dans les champs. Nat l'a étudiée avec attention, comme s'il tentait d'évaluer le nombre de pas qui l'attendaient jusqu'à la grande ville.

Puis, comme tous les enfants, il s'est mis en route en marchant en équilibre sur l'un des rails.

2,1 km

Je ne me souviens plus trop de quoi nous avons discuté au début, mais je sais que Nathan parlait sans arrêt. Rien d'important ni de grave, juste des mots pour remplir le vide. Moi, je me préparais mentalement pour le prochain arrêt.

Quand nous avons quitté la voie ferrée, il m'a demandé où nous allions et je l'ai mis au défi de deviner. Nous marchions dans les rues résidentielles et il réfléchissait. Enfin, ses yeux se sont allumés.

— On s'en va à mon ancienne garderie ?

Et il a émis un bref ricanement étonné. En entrant dans le stationnement, il a tout de suite remarqué qu'on avait repeint la devanture d'une nouvelle couleur, ce que je n'aurais jamais relevé. Nathan est doté d'une mémoire émotive stupéfiante. Ce ne serait pas la seule occasion où il m'en donnerait la preuve au cours de cette expédition.

Les éducatrices étaient ravies de revoir Nathan. Celui-ci, malgré sa gêne, paraissait remué, surtout lorsqu'il a visité son ancien local de groupe.

— Regarde, p'pa ! Moi pis Charlotte, on dînait toujours tous les deux dans ce coin-là... Pis la monitrice m'obligeait à manger mes champignons !

— Charlotte, ta première petite blonde ?

— Ouin...

Il a montré un divan du doigt.

— Y avait deux amis qui s'assoyaient là, pis ils s'embrassaient souvent... Je pense qu'ils étaient gais.

— Voyons, Nat, ils avaient quatre ans !

— Ouin, je sais ben, mais... Ouin, c'est vrai... (pause) Pis je me rappelle qu'une fois, ils s'étaient battus à coups de casseroles... Ben, des casseroles en jouets, là... C'était drôle.

Il a arpenté le local pendant encore quelques minutes. Quand nous sommes repartis, il a proposé que nous lunchions au restaurant du Pont Noir, tout près. Je lui ai demandé pourquoi il choisissait cet endroit.

— Parce qu'avec la garderie, on y allait chaque année.

2,3 km

Le Pont Noir était un *fast-food*. Nat, devant le comptoir, étudiait le menu en réfléchissant et en calculant avec précision son budget pour les deux prochains jours, collations comprises. Il prenait l'exercice très au sérieux. Tandis que nous mangions, il m'a montré son plateau avec fierté :

— J'ai été raisonnable, hein ? J'aurais pu commander deux hamburgers, un hot-dog pis une grosse frite, mais j'ai pris juste deux hamburgers avec une frite moyenne. J'ai pris une grosse liqueur par exemple, parce que j'ai chaud.

Il voulait que je le félicite. Je l'ai fait. Triomphant, il a rétorqué :

— À date, ça va bien, hein ?

J'ai souri, sans lui dire que nous n'avions parcouru que deux kilomètres.

2,6 km

La voie ferrée enjambe la rivière Richelieu sur un pont étroit, interdit aux piétons. Nathan était excité à l'idée que nous allions transgresser la loi. Je lui ai alors expliqué que notre projet était si particulier, si hors-norme que nous pouvions nous permettre quelques dérogations, à condition qu'elles ne soient pas trop graves.

— Pis comment on sait si c'est grave ou non, p'pa ?

— C'est notre jugement qui nous l'indique. Et plus on vieillit, plus on a du jugement. En tout cas, on est supposé.

Nous avons donc franchi le pont. Nat regardait en bas vers la rivière, impressionné, et il a même pris quelques photos avec son appareil. Une fois de l'autre côté, je lui ai dit très sérieusement :

— C'était une exception, Nat, ce qu'on vient de faire. Et une exception, ça arrive très rarement. Je ne veux pas que tu traverses des ponts comme ça seul et sans raison, tu me comprends ? Je fais confiance à ton jugement.

— Oui, oui...

— Tu vois, moi, c'était la première fois que je faisais ça...

C'était évidemment faux, mais ça, il n'avait pas besoin de le savoir.

8 km

Nathan, comme je l'ai déjà mentionné, parlait inlassablement. À un moment son propos a glissé vers la drogue et le sexe, et j'ai compris que nous entamions là une étape intéressante de notre périple : l'échange père-fils sur des sujets sérieux. Les questions abordées étaient semblables à celles sur lesquelles s'interrogent tous les garçons de douze ans qui vivent dans une réalité qu'on ne leur cache pas. Ce qui était touchant et unique tenait surtout aux circonstances de ce dialogue : il n'avait pas lieu entre deux séances de jeu vidéo ou dans le salon avant l'heure du coucher, mais sur une ligne de chemin de fer le long de la route 116, où aucune limite de temps ne nous était imposée. Juste entre lui et moi. Il marchait devant et ne me regardait pas, les yeux rivés aux traverses de bois sous ses pieds.

Sauf que ce n'étaient pas les traverses qu'il voyait, mais toutes les implications de ses questions et, surtout, de mes réponses.

9 km

Nathan a finalement montré ses premiers signes de fatigue vers quatorze heures. Ses questions devenaient moins enthousiastes, ses silences s'allongeaient, son pas mollissait. Il a vu un dépanneur de l'autre côté de la 116 et a proposé une pause. Nous sommes donc allés nous acheter un truc à boire et à grignoter, que nous avons consommé sans nous presser assis sur le gazon. Il ne parlait pas, semblait réfléchir à quelque chose et j'ai attendu que ça sorte. Tandis que nous retournions sur la 116, sur le point de gravir le talus vers la voie ferrée, il a enfin osé demander :

— Il nous reste combien de kilomètres à faire ?

Nous étions à la hauteur de Saint-Basile-le-Grand. J'ai consulté le GPS de mon iPhone :

— Environ 29 kilomètres.

— Quoi ? Ça veut dire qu'on en a fait juste...

Il a fait le calcul en silence.

— ... neuf ?

— À peu près, oui.

Alors est survenu ce qui devait immanquablement se produire à un moment ou un autre : il s'est découragé. Il s'est assis sur le garde-fou de la route en soupirant, la tête basse.

— Mais ça va être long !

— Nat, je t'ai expliqué qu'on arriverait demain après-midi.

— Mais ça va être vraiment long !

— T'es déjà si fatigué ?

— Non, c'est pas la fatigue ! Ça, c'est pas pire, mais... On va parler de quoi pendant les prochains 29 kilomètres ? À un moment donné, on n'aura plus rien à se dire !

— On aura juste à pas parler. Il y a des moments où on peut marcher et sentir ce qui se passe autour de nous ou en nous. Le silence contemplatif, ça peut être intéressant.

— C'est trop long, on va s'ennuyer !

— Tu prévois trop, Nat. Tu peux pas le savoir avant de l'essayer.

Il a secoué la tête en enlevant sa casquette, fixant sans les voir les voitures qui filaient tout près de nous. J'ai fini par demander :

— Tu veux abandonner ?

Il a serré les mâchoires, indécis.

— Si j'abandonnais, est-ce que ça voudrait dire que... que j'ai pas réussi ?

Et le regard anxieux qu'il m'a lancé m'a tellement ratatiné le cœur que pendant une seconde, j'ai eu envie de le prendre dans mes bras et de lui susurrer que non, qu'il avait tout de même accompli un bel exploit et que nous pouvions retourner nous baigner à la maison.

Mais évidemment, je n'ai pas cédé. J'avais prévu ce moment, je l'avais même espéré, car il m'apparaissait nécessaire. Je me suis donc assis près de lui en enlevant aussi ma casquette.

— C'est toi qui décides, Nat. Si on abandonne, il n'y aura pas de conséquences. J'aurai pas honte, je te chicanerai pas, ni rien de ça. Je t'aimerai pas moins, peu importe ce que tu choisiras.

— Mais ça va être long pis difficile, je le sais ! Je m'en rends compte, là !

— Si c'était facile, y aurait aucun mérite, non ?

— Les enfants africains dans ton livre, ils trouvaient-tu ça difficile ?

— On leur coupait la peau du pénis sans les endormir et on les laissait seuls toute la nuit dans une jungle pleine de fauves. Qu'est-ce que t'en penses ? On est quand même loin de ça...

Il n'a même pas souri, trop tourmenté. Quand j'ai recommencé à parler, je l'ai fait avec douceur et prudence.

— Mais je vais te dire comment je vois ça : c'est pas à moi qu'il faut que tu penses, mais à toi. Si t'abandonnes, c'est pas aujourd'hui que tu vas le regretter, ni demain, mais lundi matin à l'école, quand tes chums vont te demander comment ça s'est passé. Et dans six mois, dans un an, j'ai l'impression que tu seras encore plus déçu. Mais si tu te rends jusqu'au bout, tu vas être bien fier de raconter ça à tes amis. Et surtout à tes propres enfants dans vingt ou trente ans.

Il écoutait en fixant la chaussée. Ce n'est qu'à cet instant qu'il prenait conscience du sens réel de cette expédition. Pour la première fois de sa vie, il accomplissait une activité dénuée d'objectif pratique, qui ne promettait ni plaisir concret ni récompense tangible, mais au bout de laquelle l'attendait une seule et unique chose : lui-même.

Je me souviens très bien de son attitude : assis sur le garde-fou, les jambes allongées et la tête baissée, insensible au passage rapide des voitures. Je distinguais, sous sa frange de cheveux, son regard dans lequel s'entremêlaient le doute, le questionnement, le débat et la réflexion. Pendant quelques secondes, mon fils a littéralement vieilli sous mes yeux.

Puis, il a remis sa casquette et s'est levé. Sa voix était totalement neutre.

— OK, on continue.

J'avoue avoir poussé intérieurement un soupir de soulagement. Et tandis que nous remontions le talus, il m'a lancé :

— Mais t'as besoin d'avoir des bons sujets de discussion, parce que moi, le silence contemplatif, c'est sûr que je vais trouver ça plate !

15 km

— C'est comment le secondaire, p'pa ? As-tu eu des profs cool ?

Je lui ai parlé de tous ces enseignants qui avaient visité cinq années de ma vie. Et si je me fie à la distance parcourue pendant mon exposé, ça ne l'a pas ennuyé une seconde. Il écoutait tout en mâchouillant un brin d'herbe, en me posant des questions de temps à autre, sans montrer le moindre signe de lassitude. Je me suis rendu compte que notre projet avait finalement deux fonctions : il permettait à mon fils d'accomplir ses premiers pas dans l'adolescence, et me donnait l'occasion d'y retourner. Et il y avait là, entre ces deux mouvements, un point de jonction où nous nous rencontrions.

Lorsque nous avons dû traverser l'échangeur de la 30, nous avons quitté un moment la voie ferrée pour marcher sur la 116. Nathan a vu un chat tout écrabouillé sur le bas-côté. Fasciné, il l'a examiné longuement, puis a pris une photo, penché près du sol, très concentré, comme un photographe d'art étudiant le meilleur angle. Quand il s'est relevé, il n'a eu qu'un seul commentaire :

— C'est vraiment dégueulasse.

Il a lâché ces mots avec un sourire étrangement complice, comme s'il savait que son papa écrivain d'horreur pouvait comprendre sa fascination. Il n'avait pas tort.

Nous avons franchi un viaduc. En haut, Nathan s'est arrêté et a observé toute la route que nous avions parcourue jusque-là, l'expression triomphante et songeuse à la fois.

Nous sommes retournés sur la voie ferrée.

22,7 km

Nous nous sommes écartés pour laisser passer un train court qui roulait plutôt lentement. De la locomotive, le conducteur a sorti la tête et nous a hurlé quelque chose du genre : «Tassez-vous de là, tabarnac!» Nathan, furieux, s'est demandé à voix haute pourquoi il nous avait traités ainsi. Je ne le savais pas trop moi-même.

Environ un kilomètre plus loin, tandis que mon fils me racontait qu'il avait hâte de jouer au football à son école secondaire, j'ai aperçu sur la 116, une quarantaine de mètres plus bas sur notre gauche, une auto-patrouille qui se garait. Pris d'un pressentiment, j'ai dit à Nathan de stopper. L'agent s'est extirpé de son véhicule et, d'un signe non équivoque, nous a ordonné de le rejoindre. Nathan, soudain nerveux, a cessé de grignoter son brin d'herbe.

— On va être arrêtés ?

— Mais non, voyons, que j'ai rétorqué pour me rassurer moi-même. Allez, viens.

Pour nous rendre jusqu'à la route, il nous fallait traverser une sorte de fossé rempli de quenouilles. Le flic nous exhortait à nous dépêcher, je grognais qu'on faisait de notre mieux. Quand il a finalement constaté que j'étais un adulte, il a paru surpris.

— Un gars du CN nous a appelés pour nous prévenir qu'il avait vu deux personnes sur la voie ferrée. On pensait que c'étaient deux ados qui... enfin, on se disait que...

Il se grattait la tête, un peu perplexe. Nathan ne le quittait pas des yeux, impressionné. L'agent s'est enquis de notre destination et je lui ai répondu Montréal. Stupéfait, il a offert de nous reconduire.

— Non, non, on veut s'y rendre à pied. C'est un rite de passage que je fais avec mon fils.

— Un quoi ?

Je lui ai résumé notre expédition et il a écouté attentivement. Nathan, maintenant plus sûr de lui, a même conclu :

— On va coucher dans un hôtel pis on sait pas encore lequel !

Le policier a relevé sa casquette, tout à coup attendri.

— Wow... Quelle idée géniale... C'est vraiment beau, comme projet...

Et moi, stupidement, je me sentais tout fier d'épater ce flic. Il nous a alors expliqué qu'il ne pouvait nous laisser marcher ni sur la ligne de chemin de fer, ni sur la 116 : c'était interdit. Il se disait désolé de nous mettre des bâtons dans les roues, cela l'embêtait tellement qu'il en devenait touchant. Il a proposé de nous amener jusqu'à la prochaine sortie, à environ 500 mètres, qui menait à Saint-Hubert. C'était un compromis satisfaisant que Nathan, tout excité, a accepté immédiatement. Nous sommes donc montés à l'arrière. Mon fils examinait le grillage, la radio, l'arme rangée à l'avant, puis m'a gratifié d'un sourire ravi.

— C'est cool, hein, p'pa ?

Je voyais bien à son regard que cette balade d'à peine une minute en auto-patrouille serait l'un des moments forts de son aventure.

Tandis que la voiture démarrait, Nathan a demandé pourquoi c'était interdit de longer une voie ferrée à pied. L'agent lui a expliqué que des jeunes se suicidaient parfois en se jetant devant un train et que justement, depuis ce matin-là, la police cherchait deux adolescents qui avaient signé un pacte de suicide. Cette histoire a fortement troublé Nathan et il s'est tu, songeur. Le flic m'a alors dit :

— Je m'excuse encore de casser votre trip, mais j'ai pas le choix, c'est le règlement et...

— Mais non, c'est pas grave du tout, au contraire, vous êtres très compréhensif. C'est moi qui suis désolé de ne pas avoir respecté la loi...

Et après que nous nous sommes tous les deux confondus en excuses pendant une minute, il nous a laissés sur le boulevard Chambly, ce qui au fond ne modifiait en rien la distance à parcourir. Seul changement : au lieu de suivre la voie ferrée, nous allions devoir emprunter une série de petites routes. Après avoir répété à quel point il trouvait notre projet noble, l'agent a lancé un clin d'œil à Nathan.

— Tu vis une belle aventure, mon grand !

— Je le sais, a marmonné mon fils.

Le policier est reparti. Aujourd'hui encore, je suis touché lorsque je pense à lui. D'ailleurs, Nathan m'a souri.

— Il y a des policiers qui sont gentils, hein ?

— Absolument, mon homme.

Il s'est penché pour arracher un brin d'herbe et m'a demandé l'heure. Dix-neuf heures. Il réalisait qu'il avait faim et a observé les commerces autour en mâchouillant sa brindille. En apercevant le buffet chinois, son regard s'est allumé.

— C'est moi qui décide où on mange, non ?

— C'est ça le *deal*.

Et tandis que nous nous mettions en marche, il est devenu plus grave.

— Tu penses que la police va trouver les deux adolescents à temps ?

— Je sais pas, Nat. J'espère.

Nous n'avons jamais eu de réponse à cette question.

23,6 km

Tandis que nous terminions notre repas, tellement gras que même le Poulet Frit Kentucky paraissait « santé » en comparaison, Nathan comptait son argent, convaincu qu'il en aurait suffisamment pour le déjeuner et le dîner du lendemain. Puis, il m'a demandé si l'on devait marcher encore un peu ou plutôt louer une chambre dans un motel aperçu tout près. Je lui ai rappelé que toutes ces décisions lui revenaient.

— Si on continue, on va arriver au prochain hôtel dans combien de temps ?

— Aucune idée.

Il a longuement réfléchi en rongeant une frite, puis a choisi d'arrêter maintenant.

— Quatorze kilomètres demain, ça va se faire assez bien, je pense. Es-tu d'accord, p'pa ?

— Je trouve que jusqu'ici, tu gères tout ça très bien, mon homme.

— Ouin... Ouin, je suis pas pire, hein ?

24 km

C'était un motel de passe minable. Nathan voulait savoir pourquoi il y avait autant de grands miroirs sur les murs de la chambre. Je ne me souviens plus trop de la raison que j'ai inventée.

Il était couché en travers du lit, à plat ventre, encore tout habillé, plus fatigué qu'il n'osait l'avouer. Je l'ai filmé en lui demandant s'il était fier de ne pas avoir abandonné.

— J'ai jamais pensé à abandonner ! Je me posais juste des questions, c'est tout !

Évidemment, je ne l'ai pas contredit. Je l'ai embrassé en lui répétant mon admiration. Il n'a rien dit, mais il s'est laissé faire. C'était déjà beaucoup.

J'ai pris une douche, ce qui m'a permis de constater que j'avais vraiment mal aux pieds et que je n'avais plus vingt ans. Quand je suis sorti, Nathan était dehors, seul dans la ruelle, et il se filmait lui-même avec son propre appareil photo. Je n'ai aucune idée de ce qu'il racontait. Aujourd'hui encore, je l'ignore. C'est son jardin secret. Et ça le restera.

27 km

Après avoir pris un déjeuner équilibré (muffins gras et jus en bouteille) dans un Couche-Tard, nous nous sommes remis en route. Après consultation de mon GPS, nous avons trouvé un long et très joli sentier pédestre qui se rendait jusqu'à Longueuil. Nous nous y sommes engagés.

Nous avons encore eu droit à une température parfaite. Tandis que nous traversions des sous-bois tranquilles et de paisibles parcs, Nathan m'a raconté comment il avait rencontré chacun de ses quatorze amis de Mont-Saint-Hilaire. Il se souvenait de chaque événement, de chaque élément déclencheur, et encore une fois, j'ai été frappé par sa mémoire émotive.

— Toi, p'pa, est-ce que tu vois encore tes chums du primaire ?

— Non. Plus aucun.

— C'est poche.

— Non, c'est comme ça, c'est tout. Mais je me souviens de plusieurs d'entre eux.

Il a hoché la tête, le pas assuré, le regard lointain. J'ai demandé :

— Est-ce que tu crois que tu vas te faire d'aussi bons amis à Montréal ?

Il a haussé une épaule.

— J'imagine que oui.

C'était, il me semble, la première fois qu'il admettait cette possibilité.

30 km

Dans les rues de Longueuil, Nathan s'est plaint d'une brûlure aux pieds. Une vérification rapide m'a permis de constater qu'effectivement, sa peau était légèrement arrachée au-dessus des talons. Nous avons trouvé une pharmacie et tandis qu'il appliquait ses pansements, je lui ai dit qu'il aurait dû me prévenir plus tôt de cette douleur.

— Bah, c'était pas si pire que ça...

Mais son petit sourire trahissait sa fierté de soigner ses toutes premières blessures de guerre.

32 km

Nous nous sommes retrouvés au centre d'un petit terrain herbeux parsemé de quelques buissons, entouré de routes et d'échangeurs convergeant vers le pont Jacques-Cartier, qui s'élevait devant nous. Nathan attendait sagement tandis que j'explorais les environs à la recherche d'un moyen sécuritaire de nous rendre jusqu'à la voie piétonnière du pont. Puis, en me retournant pour rejoindre mon fils un peu plus loin, j'ai remarqué qu'il dirigeait ma propre caméra vers moi.

— Qu'est-ce que tu faisais là, mon comique ? Tu riais de moi, hein ?

— Non, non. Je te filmais, c'est tout.

J'avais hâte de vérifier ça...

33,5 km

Nous nous sommes arrêtés au milieu du pont. Les voitures passaient à toute vitesse à notre gauche, mais la voie piétonnière était bien protégée. Nathan observait avec intérêt, entre les barreaux de sécurité, le fleuve Saint-Laurent cent mètres plus bas.

— Nous sommes en plein milieu, Nat. Exactement entre Montréal et la Rive-Sud. Entre ta nouvelle et ton ancienne vie.

Il m'a regardé gravement. Je lui ai alors demandé de sortir de son sac à dos sa doudou toute décrépite. Curieux, il s'est exécuté. J'ai commencé à le filmer et, d'une voix forte pour couvrir le tintamarre de la circulation, j'ai dit :

— Maintenant, jette-la dans le fleuve.

— Pourquoi ?

— Tu disais que tu voulais t'en débarrasser… C'est un bon moment, tu penses pas ?

Il a longuement examiné sa vieille couverture de bébé. Puis, il l'a passée entre les barreaux, l'a tenue ainsi suspendue quelques secondes, et l'a enfin lâchée. J'ai filmé la chute de la douillette, rapide et en ligne droite, jusque dans l'eau, puis j'ai ramené l'objectif sur Nathan. Il m'a souri une seconde, puis a reporté son attention sur la doudou en bas.

— Comment tu te sens, Nat ?

— Correct.

Il ne quittait pas du regard le minuscule morceau de tissu qui flottait en s'éloignant. Il a alors émis un rire bref, comme si son propre attendrissement l'amusait, puis est demeuré coi durant vingt bonnes secondes, les mains sur les barreaux, les yeux rivés sur le fleuve. Sans un mot, il a ramassé son sac et s'est remis en marche, a fixé de nouveau les flots, a stoppé un moment, est reparti... et s'est arrêté derechef. Moi, à l'écart, je filmais dans un silence ému cette suite de départs et d'arrêts. Tout à coup, il a brandi le doigt entre les barreaux :

— Regarde, papa, elle coule !

Je me suis approché. J'ai fini par repérer un point vert-jaune au loin. Avec le zoom de ma caméra, je l'ai cadré. Effectivement, la couverture coulait lentement dans l'onde opaque. Nathan a regardé dans l'écran... et il a poussé un petit cri étrange, presque guerrier, en accomplissant un bond. Un peu comme s'il venait de compter un but au soccer, mais qu'il n'osait pas trop exposer sa joie. D'ailleurs, tout de suite après ce bref cri enthousiaste, il a repris un air très sobre, très sérieux, et s'est remis en route sans un mot. Je l'ai filmé un bon moment tandis qu'il marchait vers Montréal, puis j'ai arrêté ma caméra, car l'objectif devenait flou.

Du moins, c'est la raison que je me suis donnée.

36 km

Nous avons dîné dans un autre *fast-food*, encore des hamburgers et des frites. Quand Sophie apprendrait notre parcours gastronomique, elle en ferait sans doute une syncope.

— Il me reste 95 cents et on n'a plus de repas à prendre ! J'ai bien calculé mes affaires, hein ?

Triomphant, il s'est levé pour aller acheter une bouteille d'eau pour les deux derniers kilomètres, mais est revenu, penaud.

— Il me manque trente-cinq sous.

J'ai offert de les lui donner. Il a hésité.

— Si tu me les donnes, est-ce qu'on peut quand même dire que j'ai réussi ?

— Inquiète-toi pas, mon homme : tu as déjà réussi.

Le visage rayonnant, il a accepté mes trente-cinq sous et a payé sa bouteille d'eau.

38 km

Sur le trottoir, devant notre future maison, Sophie et Romy nous attendaient. Elles ont crié des bravos, ont applaudi, puis ont longuement serré Nathan dans leurs bras. Il les a enlacées aussi, silencieux, content. Puis, Sophie nous a pris en photo, mon fils et moi, bras dessus bras dessous, pouce dressé.

Et pour la première fois, Nathan a visité la maison. Il écoutait sa mère et sa sœur expliquer où serait sa chambre, quel genre de rénovation nous allions faire… Il approuvait, posait quelques questions, mordillant un énième brin d'herbe, le regard empli de toutes sortes d'émotions diverses.

Moi, j'ai trouvé une chaise, me suis assis et ai frotté mes pieds endoloris en me jurant de ne plus me relever avant quatre cent soixante-douze heures.

■ ■ ■

Et le déménagement ? Je ne prétendrai tout de même pas qu'il s'est déroulé dans l'euphorie. Mais bien franchement, ça n'a pas été si mal. Pendant les premiers mois, Nathan a certes vécu quelques moments difficiles, mais il s'est néanmoins adapté rapidement. Aujourd'hui, deux ans plus tard, il aime son école, s'est créé un nouveau groupe d'amis et nous a confié qu'il ne voudrait pas retourner vivre à Mont-Saint-Hilaire. Sa vie est maintenant ici.

L'année dernière, ma blonde a proposé une activité semblable à Romy : en deux jours, elles se sont toutes deux rendues à vélo jusqu'au chalet de la mère de Sophie, à Saint-Anicet, soit à cent kilomètres de notre maison. Je profite de l'occasion pour dire à ma fille chérie que je suis très fier d'elle aussi.

Quelques mois après notre expédition, nous roulions tous les quatre sur la 116 lorsque Nathan a montré du doigt la ligne du chemin de fer et m'a lancé :

— *Check*, p'pa, c'est à peu près ici que la police nous a arrêtés !

J'ai acquiescé. Il a longuement suivi la voie ferrée des yeux. Ne serait-ce que pour ce regard, je suis heureux d'avoir vécu cette expérience avec lui.

Récemment, pour pouvoir écrire cette nouvelle, j'ai visionné pour la première fois la vidéo de notre aventure. J'ai enfin vu la petite scène durant laquelle Nathan me filmait tandis que je cherchais un moyen d'atteindre le pont. Finalement, il ne se moque pas de moi du tout sur ces images. Il se contente de filmer un peu partout en commentant :

— Alors, là, on est presque arrivés… On va traverser le fleuve… Fait que ça, c'est le pont Jacques-Cartier, juste là…

L'objectif descend et me cadre tandis que j'examine les alentours.

— … pis ça, c'est mon père.

C'est tout ce qu'il dit : « C'est mon père. » Et ces simples mots, proférés à mon insu, sont les plus touchants qu'il a prononcés durant tout notre voyage.

Parce que ça, c'est mon fils.

Les bras pleins d'enfants

Pascal Henrard

Quand j'ai croisé Gabriel l'autre jour, j'ai failli ne pas le reconnaître. Il avait les bras pleins d'enfants.

Je ne l'avais pas vu depuis au moins dix ans. En fait, non, pas dix. Si je compte bien, ça faisait plutôt quatorze ans. Presque quinze. Il venait à peine de rencontrer Marie-Pierre. Moi, j'étais célibataire. Nous venions de finir l'université. Sans gloire et sans lauriers, mais non sans plaisir. Il avait écrit son premier recueil de poésie. Des éditeurs parlaient de le publier. J'écrivais des articles dans *Rock around ma tête*, un hebdo branché et confidentiel qui n'existe plus depuis longtemps. Gabriel me parlait sans cesse de son futur roman. Je commençais à éplucher les offres d'emploi. Nous sortions beaucoup et tard. Nous avions l'impression de vivre à fond, d'être le moteur de la société, de faire tourner le monde, de faire partie des forces vives et créatives d'une nation en ébullition. Nous vivions comme tous les jeunes dont les vingt ans sont une insolente promesse d'éternité. Nous ne savions pas encore que ce qui est en ébullition part toujours en fumée.

Il y a eu la fin de session. Les soirées d'adieu. Je suis parti faire le tour de l'Europe en train. Je crois que Gabriel parlait d'emménager avec Marie-Pierre. Je trouvais ça prématuré. Je ne crois pas le lui avoir dit. Entre l'Europe et l'amour, il a choisi Marie-Pierre. Nous nous sommes perdus de vue. Je n'ai plus jamais eu de ses nouvelles. Avait-il publié son recueil de poésie ? Marie-Pierre l'avait-elle suivi dans ses délires et dans ses projets ?

Quand je l'ai aperçu de l'autre côté de la rue avec cette marmaille qui le tirait de tous les côtés, je n'étais pas certain que c'était lui. Pourtant. La même dégaine tranquille, le même vieux bonnet de laine tiré en arrière, la même écharpe à rayures noires et blanches, les mêmes bottes de cow-boy usées à la corde... J'ai traversé sans vraiment regarder s'il y avait des voitures. J'étais trop content de le voir. J'avais trop envie de savoir... Est-ce possible de garder le même bonnet et la même écharpe plus de quinze ans ? Je voulais remonter le temps, retrouver le sens, les images et les instants de nos vingt ans.

Une fillette lui tirait le manteau en le suppliant de lui passer son iPhone. Un gamin sautait dans les flaques que l'hiver avait concédées au printemps. Agrippé à son épaule, intimidé par l'agitation de la rue, recroquevillé, un poupon aux joues roses baissait ses grands yeux derrière la vieille écharpe à rayures. Je me suis approché de Gabriel. J'ai hésité. J'aurais aimé lui donner une accolade, le serrer dans mes bras. Nous avions vécu tant de choses ensemble. C'était hier. Que lui restait-il de notre *road trip* vers la Californie dans ma vieille Beetle 1978 ? J'en avais gardé une jante, qui m'avait suivi dans tous mes déménagements. On dormait dans les stationnements. On mangeait des toasts au beurre de *peanut*. On économisait nos sous pour l'essence et pour la bière. Se rappelait-il la fameuse soirée d'Halloween dont le thème était les fables de La Fontaine ? Avait-il encore les partitions de l'unique concert des Kiss of Rain, que nous avions donné devant trente personnes lors du Festival Univers City ? Jouait-il toujours de la batterie ? Et Nathalie ? Avait-il encore des contacts avec Nathalie, la plus grande fan de la courte histoire de notre carrière musicale ?

Je lui ai donné une tape sur l'épaule.

— Sacré Gabriel. Tu ne changes pas.

C'est fou les banalités qu'on peut dire. La gêne de ne pas savoir par où ni par quoi commencer. Le malaise des questions qui se bousculent mais ne veulent pas sortir.

Il me présenta Manon, huit ans, qui lui arracha le iPhone des mains et se jeta dans un jeu sans daigner me regarder. Je pensais à tout ce qu'on peut faire en huit ans. Il me montra Hugo, cinq ans. « Cinq et demi », précisa le gamin qui fit une pirouette et s'éloigna vers le carrefour comme s'il était attendu quelque part.

— Hugo ! cria Gabriel.

Hugo hésita mais n'obéit pas à son papa. Il s'approchait dangereusement de l'intersection.

— Hugooooo ! répéta Gabriel avec plus d'autorité.

Le fiston s'arrêta en équilibre sur le bord du trottoir. Gabriel me montra le bébé enroulé autour de son cou.

— Et voilà Raphaëlle, treize mois.

À partir de quand arrête-t-on de compter en mois pour additionner les années ? Raphaëlle essayait de se fondre à son père. Je ne voyais que des mèches blondes et deux petits bras qui serraient très très très fort le cou paternel. Je n'osai pas demander si c'était un garçon ou une Raphaëlle avec deux ailes.

Gabriel ne me regardait pas. Il faisait de gros yeux à Hugo qui revenait vers nous, penaud comme un voleur pris sur le fait. Je brûlais de questions.

— Qu'est-ce que tu fais ici ?

— Mais j'habite ici... depuis cinq ans. Et toi ?

— Je viens d'emménager dans le quartier.

Gabriel ne me laissa pas le temps de continuer, il s'accroupit près de Hugo et commença à lui expliquer les règles de base de la bonne conduite et les principes essentiels de prudence pour survivre en ville. Le garçon se dandinait sur une jambe et puis sur l'autre comme quelqu'un qui s'en balance. Puis il fit mine de se retourner vers le carrefour. Gabriel l'empoigna et l'entraîna de force dans l'autre direction.

— Je vais à l'épicerie. Tu veux nous accompagner ?

Ça tombait bien, j'avais un frigo à garnir. Manon, qui ne lâchait pas le iPhone des yeux, emboîta le pas à son papa qui tirait Hugo d'une main et tenait fermement Raphaëlle de l'autre.

— Pis ? Qu'est-ce que tu deviens ?

Gabriel se tourna brusquement vers moi.

— Tiens-moi celle-là, faut que je parle à celui-ci...

Il me tendit Raphaëlle qui eut immédiatement un mouvement de recul et de panique, cherchant du regard son père qui venait d'empoigner Hugo. Je ne savais pas où donner de la tête. La petite était raide comme un agneau avant le sacrifice rituel de l'aïd el kebir. Elle me repoussait en essayant par tous les moyens d'échapper à ma protection. J'avais peur de la laisser tomber. Gabriel tenait Hugo en apesanteur et s'éloignait un peu pour le sermonner. Je sentis un léger tapotement sur la hanche gauche. Ça ne ressemblait pas aux coups de pied que Raphaëlle me décochait avec force et obstination. C'était plus léger, quoique aussi insistant. C'était Manon. Elle me tendait le iPhone qui vibrait dans ses mains.

Je tentai d'interpeller Gabriel qui avait déposé Hugo sur les marches de l'église au bout de la rue. Manon tirait maintenant sur ma manche. Raphaëlle se débattait dans mes bras ; par réflexe, je la serrais de plus en plus fort. Manon fronçait les sourcils en me montrant le iPhone avec insistance. « Ces appareils sont assez intelligents pour répondre tout seuls », me suis-je dit. Mais si c'était la mère de ces trois charmants bambins qui appelait pour prévenir qu'elle ne pourrait pas être à l'heure ? Et si c'était une urgence, un décès, un travail que Gabriel attendait depuis longtemps, une invitation qu'il ne pouvait refuser, une sortie avec des chums ?... Il fallait que je dégage au moins une main pour saisir le boîtier de métal qui continuait de vibrer. Les mains potelées de Raphaëlle s'enfonçaient dans mon visage, m'arrachaient les lèvres, me lacéraient le cou, m'enlevaient mes lunettes...

— Passe-moi ça, grommelai-je à Manon en lui arrachant littéralement le iPhone des mains.

— Perds pas mon jeu !

Il ne manquait plus que ça ! « Comment est-ce que ça marche, ce truc ? » me demandai-je. Sur l'écran de l'appareil qui vibrait de plus belle, un petit bonhomme sautait de nuage en nuage.

— Perds pas mon jeu ! répéta Manon.

Où était le bouton pour répondre ? Le bonhomme venait de manquer un nuage et dégringolait à l'infini dans l'immensité du firmament. *Game over*. « Au moins, me dis-je, une bonne chose de faite. » Au moment où je trouvai le moyen de répondre, l'appareil arrêta de sonner.

— Puis, qu'est-ce que tu disais ?

Gabriel était revenu. Hugo le suivait, un mètre derrière. La première chose à faire, c'était de remettre Raphaëlle à son père. Elle sauta littéralement sur lui comme si c'était un canot de sauvetage du Titanic. Ensuite, le téléphone.

— Mon jeu, donne-moi mon jeu !

Je rendis le iPhone à Gabriel qui le redonna à sa fille sans me demander ce que je faisais avec. Il se mit à tendre le nez vers le ciel et à humer l'air du bout du nez, tournant la tête à gauche, à droite. Il regarda sous sa semelle, me demanda si je sentais quelque chose. Je ne sentais rien. Il demanda à Hugo s'il avait pété. Hugo se mit à rigoler. Gabriel souleva Raphaëlle, colla son nez à son derrière et me la tendit triomphalement pour que je puisse moi aussi constater qu'il avait trouvé ce qui l'intriguait.

— Je crois que la coquine vient de nous faire un petit caca nerveux... Faut que je trouve un endroit pour la changer.

Je faisais semblant de chercher. Mais où est-ce qu'on peut nettoyer la merde d'un bébé dans un quartier résidentiel ? Sur les marches de l'église ? Pas vraiment pratique. Au café ? À cette heure-ci il était bondé de hipsters. À la boulangerie ? Ce ne serait pas très chic. Au salon de coiffure pour madame ? À la librairie ?

— Peux-tu m'ouvrir le sac, là ?

Pendant que je cherchais une place où il pourrait changer la petite Raphaëlle, Gabriel avait déposé sa fille sur le capot d'un gros VUS. Il avait commencé à la déculotter d'une main, de l'autre, il fouillait dans le sac.

— Et voilà ! Tiens, s'te plaît, va me jeter ça dans la poubelle pendant que je la reboutonne.

Je tenais le petit paquet encore chaud que Gabriel venait de me confier en retenant, le plus discrètement possible, ma respiration. Gabriel m'attendait pour continuer. Tout ça n'avait pas duré plus de deux minutes.

— Alors, enchaîna Gabriel, raconte !

Qu'avais-je fait de ces quinze ans ? Des histoires d'amour plus ou moins ratées ? Des voyages plus ou moins réussis ? Des projets en attente ? Des moments oubliés ? Des instants oubliables ? Le temps avait-il passé ? Je me retrouvais là où j'étais parti avec l'impression que mes souvenirs s'étaient enfuis.

— Manon, passe-moi le téléphone !

— Deux secondes… J'ai pas fini.

— Pas une seconde, encore moins deux. Tu me le donnes tout de suite. Tu finiras ton jeu après. Faut que j'appelle ta mère… Et ça presse.

Manon fit une moue typique des enfants dépossédés mais obéit à son père qui n'avait pas l'intention de plaisanter. Gabriel se retourna vers moi.

— J'ai oublié ma liste d'épicerie à la maison…

Était-il encore amoureux de Marie-Pierre ? J'essayais de voir une ressemblance dans les yeux de Manon qui me dévisageait fixement. Je n'y voyais que de la curiosité.

— T'es qui, toi ?

Les enfants savent poser les vraies questions.

— Comment tu connais mon papa ?

La première fois que j'avais vu Gabriel, c'était où ? C'était flou. Comme les soirées de l'époque. Les nuits blanches. Les cafés noirs. Nous avions des cours ensemble. Mais est-ce que je me souvenais de mes cours ? Gabriel fumait beaucoup.

Je buvais beaucoup. À moins que ce ne soit l'inverse. Peut-on tout raconter aux enfants ?

— J'ai encore oublié quelque chose, mais quoi ?

Gabriel poussa un long soupir en regardant autour de lui. Il cherchait encore Hugo. Le chenapan se cachait derrière lui. Quand Gabriel tournait la tête, le gamin tournait de manière à toujours échapper au regard de son père. Hugo me fit une grimace qui ressemblait à un clin d'œil, puis il mit son doigt devant la bouche, faisant de moi son complice silencieux.

— Où il est encore passé, lui ? Il s'est évaporé ?

Je ne voulais pas briser la confiance d'Hugo. Je lui adressai un signe discret du menton. Gabriel savait très bien que son fiston jouait derrière lui. Il l'attrapa par la manche et le ramena devant lui.

— Je te tiens, petit monstre... Tu ne disparaîtras plus de sitôt, toi... Allez, les enfants, on s'en va à l'épicerie.

Qu'est-ce qu'il me fallait ? Du lait, des œufs, du jus. Du sel, de l'huile, du sucre. Il n'y avait rien dans mes armoires. Des céréales ? Je ne déjeunais presque jamais chez moi. Des produits pour faire le ménage aussi. Puis des sacs-poubelle. J'aurais dû faire une liste.

— Tu me disais que tu viens de t'installer dans le quartier ? Tu vas a-do-rer...

Gabriel avait l'habitude de détacher les syllabes des mots importants, comme les présentateurs de journaux télévisés français.

— Papaaaaa. J'ai faim !

Hugo n'arrêtait donc jamais ? Gabriel cala Raphaëlle, qui commençait à s'endormir, sur sa hanche et ouvrit son sac.

— J'ai une pomme, deux barres tendres... Ah, aussi un bout de fromage.

— Je veux le fromage.

Manon levait enfin les yeux de son jeu et commençait à fouiller dans le sac de son père.

— Je veux du chocolat !

Hugo essayait d'escalader la jambe de Gabriel en se pendant à la bandoulière du sac.

— Y a pas de chocolat. Faudra attendre l'épicerie.

Hugo se laissa retomber et se roula sur le trottoir humide. Gabriel fit comme s'il n'existait pas.

— Tu veux une pomme ? me demanda-t-il.

Hugo continuait à faire la danse du bacon sur le béton du trottoir. Imperturbable, Gabriel ferma son sac et reprit la direction de l'épicerie. Hugo se redressa et accourut près de nous. Gabriel lui donna ma pomme.

— Tu viens donc de déménager ?

— Papa ! Papa ! Pipi ! Pipi !

Hugo se tenait la fourche du pantalon à deux mains en croisant et décroisant les jambes. Gabriel me redonna Raphaëlle endormie. Hugo sautillait vers la ruelle en écartant les bras de dépit. Il commença à se désoler en regardant son entrejambe.

— C'est trop taaaaaard. C'est trop taaaaard. Trop taaaaaaard.

Le petit ange s'éloignait maintenant en marchant les jambes écartées pour faire sécher son pantalon imbibé. Raphaëlle dormait dans mes bras. Son petit corps rassuré était devenu tout mou. Manon finissait son fromage, concentrée sur le iPhone.

— Gabriel ?

Je faillis lâcher Raphaëlle. Je sentais mes jambes ramollir. Je mis une éternité à me retourner vers la voix qui m'appelait.

— Heu, c'est toi, mon amour ?

Marie-Pierre plissa les yeux, qui n'avaient jamais été aussi noirs sous ses sourcils en forme de points d'interrogation.

— Gabriel ? Je t'ai appelé. Tu ne répondais pas. Qu'est-ce que tu faisais ?

Par-dessus l'épaule de Marie-Pierre, j'apercevais Hugo qui s'éloignait encore.

— Heu, j'allais faire des courses...

Marie-Pierre mit les poings sur les hanches pour bien me signifier qu'elle voulait de plus amples explications.

— Oui, oui, c'est ça, j'allais faire des courses...

Elle se rapprocha pour mieux entendre ma confession. Ma vie n'avait jamais été aussi loin de moi.

— J'ai rencontré, heu, je croisé un ami...

Elle prit une grande respiration, excédée, et me laissa parler.

— Je crois que tu le connais... Enfin... On ne s'était pas vus depuis dix, non, quinze ans. Tu te rends compte. Quinze ans. Le temps de devenir adolescent. C'était pourtant hier... Il a trois enfants. Tu te rends compte... J'avais l'impression qu'on ne s'était jamais quittés.

Manon ne décrochait pas de sa course folle dans les nuages sur l'écran de mon iPhone. Raphaëlle se laissait aller à un sommeil lourd et paisible dans mes bras. Je sentais la chaleur de son souffle plein de vie dans mon cou. Marie-Pierre enfonçait son regard obscur jusqu'au tréfonds de mon âme.

Je regardai vers la ruelle. Hugo n'était plus là. Marie-Pierre me prit Raphaëlle des bras. Elle arracha le iPhone des mains de Manon et me le tendit.

— Venez, les enfants. Je crois que papa a besoin de prendre encore un peu d'air.

Elles s'apprêtaient à s'en aller. Toutes les trois. Mais avant, je vis un soupçon de lumière poindre dans les yeux sombres de Marie-Pierre. Elle me regardait avec une triste tendresse.

— Hugo ne reviendra plus. Jamais. Il faut que ta vie continue, Gabriel. Pour les filles. Pour moi. Pour toi. Pour nous.

Dans la ruelle, le souvenir du fils que je n'aurai plus avait presque disparu. Presque.

Ce que voudraient nos pères

Pierre Szalowski

Julien Théberge referme le *Portland Tribune* sans lire les statistiques sur les noyades survenues depuis dix ans à Ocean Park. Il veut d'abord prendre le temps de pleurer la mort de son père.

La disparition avait été signalée par Nancy, la tenancière du Curtis House, inquiète de ne pas croiser au petit-déjeuner un hôte qui ne l'avait jamais manqué depuis quarante ans qu'il fréquentait sa pension de famille, les deux dernières semaines du mois d'août.

— C'était plus qu'un client, il était devenu mon ami.

Dès son arrivée dans le Maine, Julien s'était rendu au poste de police de Saco. Dans son bureau, le sergent Johns lui avait longuement serré la main avant de baisser les yeux.

— Nous sommes désolés, nous avons dû arrêter les recherches. Il faudra maintenant attendre les grandes marées d'automne pour que la mer ramène le corps. Enfin, peut-être...

— Y a des requins, ici?

— Les pêcheurs disent en avoir déjà vu...

▬ ▬ ▬

Sur la plage, les rires des enfants se mêlent au bruit des vagues, qui se fracassent dans un rythme lancinant que seuls les cris des mouettes parviennent à briser. Les estivants s'agglutinent sous la canicule qui frappe la petite station balnéaire depuis maintenant une semaine. Julien s'essuie le front du revers de la main. Il ôte la veste de son costume noir, puis roule le bas du pantalon jusqu'aux mollets avant de déboutonner sa chemise blanche qu'il libère de la ceinture. Il ramasse ses chaussures dans lesquelles sont roulées ses chaussettes et fend le troupeau de vacanciers pour tremper ses pieds dans la fine pellicule d'écume laissée à chaque ressac par la marée descendante. Au loin se dressent la centaine de piliers du *pier* d'Old Orchard. Il les fixe pour ne pas voir la mer, se contentant de la laisser s'enrouler autour de ses chevilles à chacun de ses pas. Elle est chaude, incroyablement chaude, comme rarement elle l'a été. Julien songe furtivement qu'au moins son père n'a pas froid. Il se tourne vers l'étendue d'eau pour contempler l'horizon et scrute les flots sans pouvoir se retenir d'imaginer l'en voir surgir. Cet homme, il ne vient pas de le perdre, cela fait longtemps qu'il l'a perdu. La mort ramène parfois à la vie. Une vie sans plus se parler. Une vie où seuls les souvenirs nous relient à celui qu'on a tant aimé. En observant la crête des vagues, le fils ne fait que continuer à chercher un homme qui l'a fui. Pourtant, il avait longtemps espéré. À chaque sonnerie du téléphone, à chaque carte de Noël découverte dans la boîte aux lettres, à chaque anniversaire. Avec le temps, résigné, il se contentait de dévisager les passants, pour ne plus laisser qu'au hasard le soin de renouer.

— Hey, mon Juju !

Surpris, Julien en lâche presque ses chaussures dans l'eau. Plus personne ne l'appelle ainsi. Un espoir insensé l'envahit. Et si tout cela n'était qu'une mauvaise blague, un cauchemar ou, mieux encore, un stratagème imaginé par son père pour voir si son fils l'aime encore ? Lentement, il se retourne. Face à lui se tient un vieil homme torse nu, aux cheveux rares et blancs, qui lui sourit tendrement. L'espoir s'envole d'un coup.

— Ben, Juju, tu m'reconnais pas ?

— Votre visage me dit quelque chose mais je vois pas, là...

— C'est moi, Robert... de Joliette... On se mettait toujours à côté de tes parents sur la plage!

— Oui, ça me revient. Excuse-moi, Robert. J'avais juste la tête ailleurs.

— Mon pauvre p'tit Pit...

Le vieil homme ôte sa casquette en tissu, d'un bleu assorti à son bermuda, pour étreindre solennellement Julien et lui frapper le dos de ses grandes mains avant de regarder la mer en se frottant le menton.

— J'ai entendu dire qu'ils ne l'avaient toujours pas retrouvé?

— Ils ont arrêté les recherches.

— Mon pauvre... Je savais pas ça. Y en a qui disent qu'il est allé se baigner seul le soir... C'est vrai, ça, hein?

— C'est ce que m'a dit la police.

— Qu'est-ce qui lui a pris d'aller se baigner si tard? Quand t'es jeune et que t'as bu en gang, d'accord, mais à soixante ans, tout seul, ça n'a pas de sens... hein?

— Je sais pas, Robert. Je dois faire une petite course à Old Orchard, puis je vais essayer de dormir un peu. J'ai conduit toute la nuit depuis Montréal, j'ai pas toute ma tête, là.

— Un chum de vacances de presque trente ans. On s'est pas ratés une seule année... Quelle saleté, la vie... C'est comme la mer, hein ? Regarde-la, elle est toute jolie avec ses yeux bleus, pis dès que tu lui tournes le dos elle te prend quelqu'un que t'aimes... On ne s'en méfie jamais assez... hein ?

— Faut vraiment que je file, Robert.

— Quand je pense qu'il y a pas si longtemps encore, t'étais un petit *kid* et on était tous là à jouer au baseball des après-midi entiers... Tu te souviens, hein ?

— On se parle plus tard.

— T'étais vraiment pas à ton affaire au baseball... hein ?...

— Non.

— Tu te souviens comme ton père y criait après toi tout le temps... hein ?

Julien contourne Robert pour reprendre sa marche. Jamais il n'a pu oublier les humiliations subies quand pères et fils s'affrontaient à marée basse sur un immense triangle tracé sur le sable mouillé. « T'as deux mains gauches ou quoi, Juju ? La balle, elle allait même pas à trois milles à l'heure ! » Les yeux suppliants du père n'y pouvaient rien. « Pis arrête de faire ça avec ton poignet quand tu lances, tout le monde rit de toi ! » Comme tout le monde riait, l'enfant riait. « Tu me fais honte, Juju, tu comprends ? Tu fais honte à ton père ! » Alors, le rire laissait place aux pleurs dont il essuyait les larmes dans les jupes de sa mère. À cette pensée, le jeune homme ne peut s'empêcher de lever les yeux au ciel pour lui adresser un discret baiser. Puis il revient à l'eau. Puis au ciel. Tout là-haut, sa mère cherche-t-elle aussi son père, ou est-il déjà à ses côtés, pour l'éternité ?

Julien s'éloigne mais n'a pas le temps de faire trois pas de plus vers le *pier* qu'à nouveau la grande main de Robert se pose sur son épaule.

—Pis c'est vrai, ça, Juju, que tu te maries dans deux semaines, hein ?

Dans la cuisine du Curtis House éclairée de deux néons, les pensionnaires s'affairent à préparer leur souper. Aux étages, cette ancienne colonie de vacances pour jésuites transformée en pension de famille offre des chambres aux murs blancs et des lits à barreaux spartiates, dignes d'un couvent ou d'une prison. Nul hôte ne s'en plaint, tant chacun se réjouit de profiter du mois d'août à quelques mètres de la plage à un tarif défiant toute concurrence. Pour prétendre à cette austérité, il faut être coopté, mais surtout être adoubé par Nancy. L'ancienne missionnaire, aujourd'hui guillerette sexagénaire, veille à ce que ses « *dear guests* » respectent les lieux décatis, le silence, mais surtout les autres pensionnaires. Ainsi, à cette heure, dans la cuisine, seuls les crépitements des poêles recouvrent le silence. Derrière le mur, dans la petite salle à manger, autour des tables rondes nappées d'une toile cirée imprimée de fleurs, le cliquètement des couverts se mêle chaque soir aux chuchotements.

— Excusez-moi de vous déranger, puis-je prendre le sel sur votre table ?

Dehors, sur la véranda qui fait face à la petite place d'Ocean Park, au milieu de laquelle trône la bibliothèque municipale, deux ombres se dessinent dans l'obscurité. Julien dévisage Nancy qui porte un verre de vin à ses lèvres.

— C'est toi qui as dit à tout le monde que j'allais me marier ?

— J'en ai jamais parlé à tout le monde !

— À qui en as-tu parlé ?

— À personne...

— À qui en as-tu parlé ?

— Juste à Suzy, juste elle. Je te promets.

— Ta copine Suzy du 7-Eleven ?

— Oui...

— Donc, c'est bien ce que je dis, tu en as parlé à tout le monde.

À la vue de la mine contrite de la sexagénaire au bord des larmes ou le feignant à merveille, la contrariété de Julien s'étiole peu à peu.

— Je suis désolée, Julien, j'étais juste contente de le dire à quelqu'un. Tu le sais... parmi tous les enfants qui sont passés ici, t'as toujours été mon petit gars préféré.

— Celui avec qui tu jouais en cachette à la poupée ?

De la peine, le visage de Nancy vire à la joie.

— Tu te souviens la fois où tu as dû te cacher sous le lit quand ton père qui te cherchait a frappé à ma porte ?

Les deux se fixent. Julien pouffe, Nancy l'imite. D'un coup, un fou rire incontrôlable les submerge, jusqu'à les réunir.

— La tête qu'il faisait quand il a annoncé à ma mère qu'à ton âge tu jouais encore à la poupée !

Le rire aigu de Nancy passe à l'octave supérieure.

— Et ma mère qui lui répond : « Normal, en tant que bonne sœur elle n'a jamais pu avoir d'enfant ! »

Le fou rire de la sexagénaire s'estompe d'un coup. Le jeune homme lui prend la main.

— Je n'aurais pas dû te dire cela. Excuse-moi.

— Tu sais, j'ai pris soin de tellement d'orphelins que j'ai été mère mille fois. À ne plus savoir quoi faire de l'amour...

Dans la chambre de l'ancienne missionnaire, dont l'accès était rigoureusement interdit aux pensionnaires, au-dessus du coffre à jouets qui renfermait les poupées, une carte du monde pendait au mur. Au milieu d'une dizaine de pays d'Afrique et de quelques pays d'Amérique du Sud, des aiguilles à coudre étaient plantées. Sur chacune d'elles, un petit papier mentionnait les années que la religieuse y avait passées au service des autres, mais surtout du Seigneur.

Nancy retire sa main de celle de Julien pour se signer.

— C'est à ta mère que je pensais... Elle savait ce que tu faisais avec moi.

Sept ans plus tôt, sitôt la cérémonie funéraire terminée, le fils avait voulu enlacer le père. Celui-ci s'était reculé, n'ayant que sa rancœur à partager. « Elle se faisait tellement de souci à cause de ta vie qu'elle en est morte de chagrin ! » avait-il éructé avant de lui tourner le dos pour ne plus jamais le regarder.

— Si tu savais comme ses mots m'ont fait mal.

— Tu n'y es pour rien, c'est Dieu qui l'a rappelée à lui.

— Non, c'est le cancer qui s'est rappelé à elle.

— Dieu l'a voulu ainsi.

Les deux fixent les étoiles, certainement pas les mêmes. Cette fois, c'est Nancy qui prend la main de Julien.

— Je pense qu'il s'en est beaucoup voulu.

— De quoi ?

— De la manière dont il s'est comporté avec toi dès qu'il a compris que tu n'étais peut-être pas un petit garçon comme il aurait voulu que tu sois...

Julien libère sa main pour se lever et s'adosser à l'un des poteaux de la terrasse.

— Pourquoi faut-il que l'on soit ce que voudraient nos pères ?

— Tu as été son unique enfant, qu'il a eu très tard. Il a reporté sur toi ses espoirs, ses rêves. Il t'a toujours vu comme son prolongement, sans jamais imaginer que tu serais « toi », un autre que lui.

— J'aurais tant voulu qu'il me dise au moins une fois : « Je t'aime comme tu es. »

— Il s'inquiétait beaucoup pour ton avenir.

Julien se tourne vers Nancy. La vieille dame n'a aucun mal à deviner, même dans la pénombre, que son hôte n'en croit pas un mot.

— Crois-tu qu'il serait venu à mon mariage ?

— Peut-être...

— Il te l'a dit ?

— Il ne m'a jamais dit qu'il n'irait pas !

— Tu mens !

— Je ne te mens pas, Julien. Je ne suis pas en train de te dire que ton père s'était déjà acheté un costume, mais il se questionnait beaucoup sur la meilleure chose à faire pour toi.

— Il n'avait qu'à me le demander, je lui aurais dit !

Nancy se lève d'un bond et pousse la porte d'entrée du Curtis House en la maintenant ouverte pour laisser passer Julien devant elle.

— Allez, il est déjà tard, on n'a toujours pas mangé. Et avoir le ventre vide finit par faire dire de vilaines choses.

Dans le couloir qui longe la salle à manger, le jeune homme s'arrête et passe son bras autour des frêles épaules de la vieille dame.

— Mais toi, tu viendras à mon mariage ?

— Bien entendu que je viendrai ! Il est comment, ton fiancé ?

À la cime des feuillus, quelques taches orange luisent sous le soleil couchant. Sur le bitume de la 89 Nord, les autos, chargées de passagers rougeauds, de seaux, de râteaux et de pelles en plastique sur la lunette arrière, filent bon train vers la frontière canadienne. Sur la voie de gauche, la voiture de Julien dépasse la limite de vitesse de quelques dizaines de kilomètres-heure, défiant les radars. Dans l'habitacle, *Love Me Do* joue. Le jeune homme repose son gobelet de café et jette un regard sur le sac de plastique blanc que lui a rendu plus tôt le sergent Johns. L'homme de loi avait interrompu une communication téléphonique avec son supérieur pour faire entrer Julien dans son bureau. Il l'avait dévisagé un moment avant d'ouvrir son tiroir.

— Ce sont les affaires de votre père. Je vous les rends. Nous n'en avons plus besoin.

Julien n'avait osé s'en saisir. Le policier s'était levé pour aller jusqu'à la fenêtre à travers laquelle il avait fait mine de regarder.

— Il les avait laissées pliées sur le dossier d'un banc public, sur la plage, bien en évidence. On n'a vraiment pas eu de mal à les retrouver. D'ailleurs, s'il avait voulu être certain qu'on tombe dessus, il ne les aurait pas mises ailleurs...

— Vous croyez?

— À l'heure à laquelle votre père est arrivé à la plage, la mer était basse. Normalement, quand on va se baigner on pose ses affaires au bord de l'eau sur une serviette. Enfin, moi je fais comme ça…

Julien avait longuement réfléchi avant de répondre.

— Je ne me souviens pas où il laissait nos affaires quand on se baignait à marée basse quand j'étais enfant… Mais comme au bord de l'eau le sable est mouillé, il n'a peut-être pas voulu les salir ? Mon père était un maniaque de l'ordre et de la propreté… Ça, je m'en souviens bien, par contre.

Le sergent Johns avait observé la tenue impeccable du jeune homme qui se triturait nerveusement les doigts.

— C'est vrai, ça, on a tous nos manies…

Julien avait immédiatement agrippé les accoudoirs de son siège en fixant le policier qui venait de se tourner vers la fenêtre pour regarder au loin, l'air badin. Ce qu'il venait de comprendre, il l'avait déjà vu dans un film. Non, dans beaucoup de films. Enfin, dans tous les films policiers qu'il avait vus. Le quinquagénaire qui se frottait le menton en contemplant un paysage qu'il connaissait par cœur était en train de l'interroger. Pourtant, lorsqu'il avait appelé le matin au Curtis House pour lui demander de passer, il avait été aimable, n'évoquant que la simple formalité de lui restituer les affaires du disparu.

— Ça fait plus de vingt ans que je suis au poste de Saco. Je ne dirais pas qu'il ne se passe jamais rien, mais il ne se passe jamais grand-chose. Ici, c'est pas comme à la ville. On se connaît tous. Les vacanciers reviennent chaque année. Par exemple, votre père... si je ne lui avais jamais parlé, je l'avais déjà vu chez Nancy.

Les doigts de Julien avaient serré encore plus fort les accoudoirs jusqu'à ce que ses ongles s'incrustent dans le cuir.

— Vous le savez, ici on ne fait jamais de contrôles d'identité. Mais votre père, lui, alors que le Curtis House n'est qu'à cent mètres de la plage, ben il avait une pièce d'identité sur lui... Enfin, pas sur lui, il y en avait une dans les affaires qu'il a laissées en évidence sur le banc public. Et pas n'importe quelle pièce d'identité. Ou, disons, n'importe quelle pièce pour l'identifier...

Le sergent Johns avait laissé flotter un moment de silence, en profitant pour se rasseoir à son bureau. Puis il avait fixé Julien jusqu'à ce qu'il parle.

— Il avait quoi comme pièce d'identité ?

— Sa carte de vidéoclub !

— Elle était peut-être juste là parce qu'il avait oublié de l'enlever de sa poche en partant de Montréal ?

— J'y ai pensé. Mais le short était tout neuf, avec encore ce fameux pli qu'on n'arrive jamais à refaire quand on le repasse. Difficile de croire qu'il sortait d'une machine à laver. Et encore plus difficile d'imaginer que ce vulgaire morceau de carton serait ressorti intact d'un lavage...

Julien avait baissé la tête comme si la lame d'une guillotine venait de se poser sur son échine. Sans qu'il ne puisse le contrôler, il se sentait coupable.

— Je vais vous poser une question, une seule.

Julien s'était redressé et, las de ne plus sentir le bout de ses doigts plantés dans les accoudoirs, à nouveau il s'était trituré les mains.

— Il y a trois façons de se noyer. La première, c'est parce qu'on ne sait pas nager. Ça arrive surtout chez les enfants. La seconde, c'est l'accident. Un malaise dans l'eau, un bateau à moteur qui ne vous voit pas, enfin, un accident. Et la troisième...

Julien venait de comprendre pourquoi il se sentait coupable d'un geste qu'il n'avait pas commis, mais dont il était peut-être à l'origine. Le policier avait baissé la voix, jusqu'à presque chuchoter.

— Donc, la troisième, c'est celui qui sait nager, qui n'a eu aucun accident, mais décide de ne jamais revenir...

Julien s'était mordu la lèvre et avait vite essuyé une larme qui cherchait à naître. Le sergent Johns avait eu la délicatesse de feindre de ne pas l'avoir vue.

— Dites-moi, Julien, est-ce que votre père allait bien ?

— Je ne sais pas.

— Vous ne savez pas ? C'est curieux de ne pas savoir comment va son propre père...

— Pour tout vous dire, sergent, on ne se parlait plus beaucoup.

— Plus du tout, je crois ?

C'était bien comme dans les films. Le policier connaissait la réponse avant même de poser la question.

— Nancy me l'a dit... Mais elle m'a affirmé qu'il allait bien, enfin, qu'il allait comme depuis des années, qu'elle n'avait rien remarqué de particulier...

En partant, Julien avait tendu la main au sergent Johns, qui l'avait serrée, mais ne l'avait pas relâchée.

— Monsieur Théberge, une dernière chose. Vous n'avez pas trouvé un mot ? Souvent, les proches en retrouvent un...

▬ ▬ ▬

À l'étage du petit duplex à la façade usée, Julien dépose la valise sur le palier de métal rouillé et s'agenouille pour l'ouvrir. À la lumière du seul réverbère qui éclaire la rue, il soulève chacune des piles de vêtements soigneusement lavés et pliés par Nancy pour en extirper une vieille trousse en cuir râpé. La glissière de la fermeture éclair résiste avant de laisser découvrir une vieille montre à gousset, une croix accrochée à une chaîne en or, un portefeuille aux couleurs des Expos et une clef. Rien ne manque, mais rien n'a été ajouté depuis la fois où Julien l'avait fouillée en secret, persuadé d'y trouver un trésor. Ignorant que son père prenait toujours soin de la refermer en plaçant la glissière sur l'avant-dernière dent, il avait été démasqué. Il n'y avait eu aucun cri, juste un murmure : « C'est ce que m'ont laissé mes parents. C'est toute ma vie qu'il y a là-dedans. Un jour tout cela sera à toi. À toi tout seul ! »

Sur le palier, le jeune homme contemple un instant l'héritage que sa seule main peut contenir, avant de fouiller dans la pochette pour en sortir la clef. Il déverrouille la porte, puis, sans chercher, il trouve l'interrupteur dans la pénombre. Le plafonnier éclaire faiblement l'entrée. Comme il le faisait enfant, Julien essuie ses chaussures sur le paillasson. Si ce qu'a prédit le sergent Johns s'avère, nul doute que la lettre sera placée en évidence.

Il entre dans le salon. La table basse sur laquelle son père lui interdisait de poser les pieds quand il regardait la télévision n'accueille plus qu'un napperon jauni sur lequel sont alignés un cendrier, un crayon rouge et la télécommande. Dans la cuisine, rien ne traîne. L'inox de l'évier brille autant que le formica vert pâle de la table. Le réfrigérateur ne bourdonne plus, il a été débranché. Le matelas du lit double de la chambre de son père n'est recouvert que d'une couverture pliée. Un seul oreiller, sans taie, y trône. Sur la table de chevet, à côté du réveil dont la fiche repose sur le boîtier, un petit cadre est tourné vers le mur. Julien s'en saisit. Que sa mère figure sur la photo, il s'y attendait. Mais de s'y reconnaître à ses côtés fait battre son cœur plus vite. Jusqu'à la chamade quand il constate qu'il y apparaît à l'âge adulte, bien après la rupture avec son père. Une image certainement récupérée dans les affaires de sa mère, à son décès.

Léger, presque heureux, il sort de la pièce pour se diriger vers la porte, en face. Celle de la chambre dans laquelle il a grandi. Si un père avait une lettre à laisser à son fils, ce n'est pas ailleurs qu'il la déposerait. Sans douter, il entre. Ici non plus, rien n'a bougé, si ce n'est quelques cartons rangés au pied du lit et diverses babioles entassées dans les placards. Le fils a beau fouiller partout, rien. En traînant les pieds, il inspecte même la salle de bains, avant de s'effondrer, vaincu, sur la cuvette des toilettes. Prostré, il fixe un long moment la faïence dont les joints usés sont devenus noirs. Soudain, il se redresse pour sortir de l'appartement avant de réapparaître avec le contenu de la boîte aux lettres. Seuls Vidéotron et Hydro-Québec ont écrit. Julien abandonne le courrier sur la table basse. À cet instant, il ne sait pas s'il lui faut se réjouir que son père ne se soit peut-être pas suicidé, et que seule la fatalité lui ait volé sa vie, ou s'il doit se désoler qu'il y ait mis fin sans daigner lui dire au revoir. En lui saignera à jamais cet amour sans retour que les jours heureux de l'enfance ne laissent pas présager. Il ferme les yeux pour tenter de les rattraper. Les anniversaires et les Noëls défilent. Les devoirs et les goûters. Les chatouilles et les gratouilles. Les histoires avant de s'endormir. Les billets de un dollar glissés discrètement dans sa poche pour les bons bulletins. Le jeune homme se lève.

— Qu'est-ce que je suis con !

Dans sa chambre d'enfant, à genoux sous le petit bureau, Julien passe la main dans le recoin où jadis il cachait son argent de poche. Dans la fente, une enveloppe l'attend. Délicatement, il l'en extirpe. Dessus, au crayon rouge, son père a écrit « Pour Julien ». Il ne peut l'ouvrir tant ses mains tremblent. Il se rend dans la cuisine pour se munir d'un couteau à pointe fine avec lequel il ouvre l'enveloppe. Soudain, un bruit sec contre la porte d'entrée. Il court à la fenêtre mais se détend vite à la vue du camelot qui de la rue lance les journaux, comme lui le faisait jadis. Il revient à l'enveloppe de laquelle il sort une feuille imprimée, pliée en trois. Ses yeux se posent sur les caractères austères et les chiffres. Il comprend.

C'est un contrat d'assurance-vie dont il est l'unique bénéficiaire.

— Mais j'en veux pas de cet argent, c'est de toi que j'ai besoin...

Une première larme coule, puis une autre file sur sa joue, avant qu'une moue n'en change la trajectoire lorsqu'il découvre un petit mot dans le fond de l'enveloppe. Comme un enfant, il ne peut s'empêcher de balbutier à haute voix l'écriture malhabile en lettres rouges : « Mon Juju, sois heureux et offrez-vous la plus belle des vies. Je t'aime comme tu es, c'est juste que je sais pas le dire. Je serai toujours là... tu comprends, Juju ? Ne pleure pas, je sais qu'un jour on se reverra. Ton papa. »

En quittant l'appartement alors que le jour se lève, Julien Théberge ne daigne pas ramasser sur le palier le *Journal de Montréal* recroquevillé dans son élastique. À la page neuf, une photo en médaillon reprise du *Portland Tribune* montre son père, hirsute. Dans le court article, on peut lire que le sergent Johns de la police du Maine a mis au jour une minable tentative d'escroquerie auprès de l'assureur. Une caution a été exigée pour la libération du présumé coupable. Jusque-là, personne ne s'est encore manifesté pour la payer.

Le supplice du sandwich

Tristan Demers

L'appel de la denrée scolaire surgit normalement le dimanche soir, peu avant le *Téléjournal*. Le frigo est vide, les petits sont couchés et me voilà habité d'une indescriptible anxiété. Une anxiété semblable à celle que j'aurais éprouvée si on m'avait forcé à participer à *Fort Boyard* dans une autre vie. Bref, le gros stress. Le magicien que je suis récupère un œuf, une cuillérée de mayonnaise, une tranche de prosciutto et un cornichon sucré, orphelins d'un party de l'avant-veille. Reste à savoir si ma progéniture appréciera ce que ça donne : une catastrophe alimentaire. L'école osera-t-elle me dénoncer pour mon petit pain fourré grisâtre ou ce « roulé corni-jambon » plus mauvais qu'une boîte de Paris Pâté ? Je gaffe pourtant toujours avec beaucoup d'amour.

L'incommensurable fierté d'être père et la lourde responsabilité d'initier notre rejeton au dogme du *Guide alimentaire canadien* ne vont pas de pair. Déjà que les petits aléas de la vie me donnent la nausée (comme chercher du yogourt avec des fruits au fond en 2014 ou supporter ces insignifiantes petites boules de rotin qui pullulent sur les tables dans le décor des émissions de décoration), je dois aussi me battre depuis vingt ans avec ce douloureux rituel que partagent les parents du monde entier : faire des lunchs.

La relation bouffe-école était pourtant si simple en 1982. La maîtresse demandait au petit gros conciliant d'aller chercher des berlingots de lait dans le frigo de la secrétaire, et les écoliers buvaient leur nectar subventionné en regardant *Passe-Partout* sur une grosse télé à roulettes. C'était dans le programme. Pour dîner, un sandwich au beurre de *peanut* faisait l'affaire (des allergies ? *de kessé* ?). Pas de boîtes à boire qui débordent de partout, pas de barres tendres destinées aux perruches et, surtout, le sentiment d'être adéquat même si tu n'avais que quelques carottes égarées au fond de ta boîte à lunch *Goldorak*.

Pour le gars de restos que je suis, la création du lunch idéal est une tâche titanesque. Et comme je me reproduis sans cesse, ce cauchemar récurrent me torture les neurones depuis le début de l'âge adulte. Je n'ai pas d'idées, pas de temps, mon frigo est vide... même chose pour mon cerveau. J'aimerais bien préparer religieusement des sushis moléculaires à mes enfants, mais si ce n'était que de moi, je leur lancerais un pogo froid et une canette de *root beer*. Ricardo réinvente la côtelette de bison braisée au balsamique pour ses enfants ? Manque de pot, je n'ai pas sa dextérité ni son imagination. Avec moi, on se contente du craquelin au thon. Du thon en canne, c'est moins de trouble.

Je n'admettrai pas ma paresse intellectuelle, préférant jeter le blâme sur les circonstances socioéconomicoculturelles qui nous obligent, handicapés culinaires parentaux, à souffrir dans le silence. Vous me trouvez réactionnaire ? Bingo !

Côté menu, on ne manque pourtant pas de choix : les multinationales frôlent l'indécence à vouloir nous faciliter la vie, osant la clémentine pré-épluchée, le fromage en aérosol ou les biscuits pré-enduits de Cheez Whiz. Comment surfer adéquatement entre les amuse-gueules, insignifiants distributeurs de calories vides et les repas santé qu'on n'a surtout pas envie de préparer avant d'aller au lit ? Et si la solution se trouvait ailleurs ?

Dans les écoles secondaires, une subvention ministérielle devrait financer la transformation d'une partie des casiers en minifrigos. Avec un budget d'épicerie pour passer la semaine, les jeunes n'auraient d'autre choix que de se démerder pour se « sandwicher » quelque chose de frugal à même leur terrain de jeu. Ça développerait leur autonomie, comme c'était le cas avec l'archaïque cours d'économie familiale, disparu des écoles peu après la dactylo. On ferait des ados de la génération Web d'excellents cuisiniers épicuriens, les hormones dans le tapis, prêts à vivre pleinement l'aventure gourmande. Je les imagine explorant le *necking* entre deux bouchées de salade de macaroni, la bouche pleine, écrasés dans leur case réfrigérée comme dans le film *9 semaines ½*.

Quarante ans après *La Grande Bouffe*, nos cuistots de seize ans se réapproprieraient ainsi le plaisir de la gourmandise et de la bonne chère, un péché capital auquel s'adonnent à la fois le cuisinier du Canal Zeste et la *pop star* de l'heure. Ce n'est pas Rihanna qui se dandine à Disney Channel avec un cornet dans les mains et une soie dentaire entre les fesses ? On est loin de Sœur Angèle.

Bon, j'entends déjà les plaintes anonymes à la DPJ. Et pourtant, mes rejetons n'ont manqué de rien. Plus stimulés que ça, tu meurs. D'accord, on était beaucoup sur la route, mais je les ai affectueusement nourris de restants broyés de buffets d'hôtel (ça passait mieux dans le biberon), de craquelins Air Canada et de *cupcakes* dignes des couvertures du magazine *Coup de pouce* (car le *cupcake* est à *Coup de pouce* ce que la *playmate* du mois est à l'empire de Hugh Hefner : seuls les délices les plus excitants seront appelés à faire la page centrale de ce sensuel mensuel du « bon manger »). Stratégique, je me suis par ailleurs toujours arrangé pour éviter à mes enfants l'humiliation culinaire, leur enseignant le pouvoir de la conviction. Avec un peu de fierté, on peut grignoter un croissant aux bonbons Nerds et à la margarine en gardant la tête haute. Simple question d'attitude.

Finalement, je préfère lire plus d'histoires à mes enfants et passer moins de temps aux fourneaux. Mais même là, je me fais rattraper par mes angoisses culinaires. La littérature pour enfants regorge d'histoires de lunchs qui tournent mal. J'en veux pour preuve cette ribambelle de contes classiques, bourrés d'encas rarement savoureux et nutritifs à la fois. *Boucle d'or*, par exemple... Les ours n'ont-ils pas abandonné leurs bols de gruau ? Faut croire que le déjeuner n'était pas vargeux ! Le Petit Poucet aurait-il pu disperser des Ficello en forêt ? Alice et son petit thé de fin de soirée, Blanche-Neige et sa pomme plate, Hansel et Gretel et leur bungalow interdit aux diabétiques... Que d'exemples flagrants du peu d'importance que l'on accorde au repas récréatif, pourvu que les *kids* aient quelque chose d'à peu près consistant à se mettre sous la dent. Et ces récits sont malgré tout devenus des incontournables ! Y a de l'espoir pour les anti-lunchs.

La semaine dernière, ma fille a délaissé momentanément ses (ostie de) princesses pour s'intéresser soudain au Petit Chaperon rouge. J'imagine que les effets de la lobotomie qu'elle a subie à Disney World s'estompent avec le temps. Quoi qu'il en soit, je me suis empressé de lui raconter ma version, bien plus engagée que celle de Charles Perrault. Un bijou de mauvaise foi qui va comme suit :

« Il était une fois une gamine pas très tendance et un brin naïve qu'on appelait le Petit Chaperon rouge. La fillette habitait dans un trou perdu avec sa mère qui, attachée à ses fourneaux, n'avait d'autre choix que de cuisiner sans arrêt plutôt que de commander du St-Hubert comme tout le monde. Inutile de préciser que chez les Chaperon (ou les Rouge ?), c'était le festival du ragoût de pattes, du pouding chômeur et des galettes de sarrasin. Visiblement, on prenait plaisir à cuisiner et à faire des lunchs. C'est fou ce que l'isolement peut entraîner comme conséquences.

Un beau matin, sa mère lui donna des galettes et un *smoothie* de grano, l'obligeant à traverser seule un grand boisé infesté de créatures hideuses. Bravo. La Chaperonne, qui n'était pourtant pas travailleuse sociale, devait nourrir sa grand-mère démunie qu'on avait placée, bien malgré elle, dans un cabanon sans électricité. C'était une alternative à l'euthanasie, j'imagine. Sur le chemin, la fillette discuta avec des chenilles, s'obstina avec des roches, sniffa de la mousse de champignon et se torcha même avec des fougères. Un loup, caché derrière un arbre, s'approcha de l'enfant.

— Bonjour, Petit Chaperon rouge. Où vastu comme ça ?

— Je vais porter à mamie quelques denrées non périssables pour qu'elle puisse passer la fin de semaine.

— Et où habite ta grand-mère, ma petite ?

Bon, on ne s'éternisera pas sur la conversation insignifiante qui mena le loup à se garrocher dans le *shack* de la vieille dame pour arriver avant la petite. Chose certaine, l'animal croqua l'aïeule et la dévora, avant d'enfiler sa jaquette et de prendre place dans le lit *queen* qui meublait la chambre pour le moins rustique.

Évidemment, le Petit Chaperon rouge arriva et frappa à la porte aussitôt. Intriguée par le museau poilu qu'arborait sa mamie, elle se douta bien de quelque chose. Mais il était un peu tard, car la bête déguisée n'en avait déjà fait qu'une bouchée... »

La déresponsabilisation d'une mère qui prenait son enfant pour un livreur de pizza, une grand-mère affamée loin de tout restaurant, un loup qui aimait un peu trop manger frais... Tout, dans ce récit, respire l'angoisse du lunch. Celui qu'on n'aurait pas dû faire, la galette maudite annonciatrice de malheurs forestiers.

Je ne tomberai pas dans ce panneau et je conserverai mon titre de champion faiseur de grignotines pas mangeables. J'assumerai mes travers en sachant que je donne à mes enfants autrement, dans le plaisir ou l'adversité.

De toute façon, mes sandwichs au jambon pressé n'ont pas le même goût que les autres : j'y écris toujours les mots « Je t'aime » avec le jet de moutarde. Le pain l'écrase mais moi je le sais. On peut détester faire une chose. Mais quand on la fait pour nos enfants, on trouve toujours à y mettre une bonne dose d'amour. Ça doit être ça, être papa.

L'absence

Claude Champagne

Chez le psy

Six ans après la disparition

— Monsieur Lanctôt, si je vous dis le mot « paternité », qu'est-ce qui vous vient en tête ?

— Fleur.

— Fleur ?

— Oui.

— Comme dans les fleurs et les abeilles ?

— Ah. Possible.

— Avez-vous réçu une éducation sexuelle ?

— Qu'est-ce que vous entendez par là ?

— Par exemple, est-ce que vos parents ont évoqué la chose avec vous ?

— Non, pas que je me souvienne. Peut-être une fois. Ma mère m'avait maladroitement demandé si j'avais du poil sur le pubis.

— Et c'est tout ?

— Oui.

— Hum.

— Autrement, c'est *Playboy* qui a fait mon éducation.

— Je vois. Et si je vous dis le mot « mère » ?

— Enfant.

— Cet enfant, c'est vous ?

— Non. Je ne sais pas.

— Ça pourrait l'être ?

— Le mot « mère » me fait penser à « enfant ». Pas à moi en particulier. Mère, enfant, ça va ensemble. Une mère ne serait pas une mère sans un enfant.

— Et un père ? Peut-il être un père sans enfant ?

— Spontanément, j'ai envie de vous répondre oui. Mais j'ignore pourquoi.

— Ce ne serait pas parce que votre fille aînée ne vit plus… avec vous ?

— Possible… Même si ça fait six ans que…

— Depuis son départ, vous arrive-t-il de douter ?

— D'être son père ? Quelle question !

— Et votre autre fille, Juliette, c'est ça ?

— Oui.

— Comment prend-elle ça ?

— Quoi ?

— De vivre avec un fantôme.

— Il n'y a que moi qui vois Charlotte.

— Mais n'avez-vous pas déjà dit que Juliette parlait à Charlotte ?

— Elle imagine des choses.

— Vous en êtes certain ?

— Oui.

— Pourquoi ?

— À cause des réponses qu'elle prétend obtenir. Juliette fait ça par empathie pour moi. Elle voudrait que je n'aie plus mal.

— Je comprends.

— Au début, Juliette a beaucoup souffert de sa disparition, même si elle était toute petite. Puis, le temps a passé, ses blessures se sont refermées.

— Elle n'a pas oublié sa grande sœur.

— Non. Et c'est sans doute ma faute.

— Et votre femme ?

— Lucie est plus forte que moi.

À la pouponnière

Un an après la disparition

Bien avant d'entreprendre ma thérapie chez le psy, il m'arrivait fréquemment d'aller à l'hôpital pour passer toutes sortes de tests. Il s'est avéré que je n'étais pas malade. Enfin, si. Je souffrais de crises de panique. Après mes examens, je faisais souvent un détour par la maternité.

— Lequel est le vôtre ?

— Celle-là, au fond, répondis-je.

— Dans l'incubateur ?

— Oui, elle est née avec une jaunisse.

— Comment s'appelle-t-elle ?

— Euh... Charlotte.

Impossible de lui avouer que je ne venais ici que pour les souvenirs.

— Vous n'êtes pas encore sûr du prénom ?

— Non, non... Elle s'appelle Charlotte, mais...

— Le mien se nomme Jérémie. Comme son grand-père. Ma femme y tenait. Ça lui va bien, je trouve.

— C'est celui-là, sur le bord ?

— Oui.

— On peut dire qu'il a une face de Jérémie.

— Vous êtes drôle, vous.

— Ça fait longtemps qu'on ne m'a pas dit ça.

— Je veux dire, vous n'êtes pas drôle « ha ha », mais...

— ... je suis étrange?

— Non, non! C'est pas ce que j'ai voulu dire. Bien, peut-être un peu, mais...

— Vous pensez que vous n'êtes pas étrange, vous, avec votre air de père gaga?

— C'est peut-être pas votre premier enfant, comme moi.

— La vérité, monsieur, c'est que j'ai deux enfants. Deux filles. Et la première a disparu.

— Oh... Je suis désolé...

— ...

— C'est pour ça que vous avez décidé d'avoir un autre enfant.

— Ça n'a rien à voir.

— Vous avez raison, je dois vous paraître étrange avec mon bonheur et mes questions.

— Vous croyez que je ne suis pas heureux?

— Ce n'est pas de mes affaires...

— Enfin des paroles sensées.

C'est alors que l'infirmière en chef se pointa.

— Monsieur Lanctôt ! Vous êtes encore ici ? Vous savez que vous n'avez plus le droit de venir à la pouponnière.

Au cimetière

Six ans après la disparition

Mon père est mort depuis huit ans, mais c'est à peine s'il a été vivant. J'ai peu de souvenirs de lui. Nous n'avons jamais eu de grandes conversations. En sortant de chez le psy, j'ai eu envie de lui parler.

— Papa…

Aux soins intensifs

Deux ans avant la disparition

— Papa… Tu dors ?

— Hein ?

— Je ne voulais pas te réveiller.

— C'est pas grave. Je dors, je dors pas.

— Tu vas mieux ?

— La femme à côté, elle est morte cette nuit.

— Elle était vieille.

— Toute sa famille de Gaspésie était ici. As-tu des nouvelles de ton frère ?

— Non… Maman va venir ce soir. As-tu besoin de quelque chose ?

— J'aimerais ça faire des mots croisés.

— Je peux aller te chercher le journal, en bas.

— Avec tous ces fils-là partout, je sais bien pas comment je ferais pour le tenir.

— Papa…

Au cimetière

Après être allé chez le psy, je lui ai quand même posé la question.

— Est-ce que tu m'aimes ?

Mais je savais qu'il ne me répondrait pas plus que s'il avait été en vie.

Dans la chambre de Charlotte

Onze ans avant sa disparition

— J'ai un secret à te dire…

— Je le sais : tu m'aimes.

— Tu es trop gâtée, toi !

— Non !

— Ouiiiii !

— Nooooooooon !

— Ouiiiiiiiiiiiiiiiiiiiiiiiiiiiiii ! Ouf.

— Non, non, non, nooooooooooooooooooon ! Bon.

— Tu le sais peut-être pas, mais en une seule journée, j'ai l'impression de passer plus de temps avec toi que durant toute ma vie avec mon père.

— Je l'aime, moi, grand-papa.

— Moi aussi...

— Il m'emmène déjeuner au restaurant.

— Tu es chanceuse, toi.

— Grand-papa, il t'emmenait pas manger au restaurant ?

— Je me souviens plus.

— Moi, je vais m'en rappeler toute ma viiiiiiiie !

— T'es drôle.

— Toi aussi, mon papa papounet d'amour.

— Est-ce que tu vas m'aimer toute la vie ?

— Toute la viiiiiiiiiiiiiie !

Au poste de police

23 mai 1998

Ma fille n'est pas rentrée à la maison après l'école. Il est tard. Elle aurait pu aller chez une amie et oublier de téléphoner. Après tout, elle a quinze ans. Mais ce n'est pas ce qui est arrivé. Il fait noir. Après avoir appelé tous les numéros de son carnet d'adresses et fait le tour du quartier, je suis passé devant le poste de police. Je ne savais plus quoi faire. Je me suis rué sur le premier agent que j'ai vu.

— Ma fille a disparu !

— Calmez-vous...

— Je vous dis que ma fille a disparu !

— Quel âge a-t-elle ?

— Quinze ans.

— Avez-vous envisagé une fugue ?

— Non, c'est impossible.

— Ça arrive, vous savez.

— Puisque je vous affirme que ma fille a disparu !

— Quand avez-vous constaté sa disparition ?

— Je l'ai vue ce matin, au déjeuner...

— Il est onze heures, monsieur. Votre fille est peut-être chez une amie.

— Non, elle m'avertit toujours.

— Elle a peut-être oublié, les ados...

— Pas ma fille.

— De toute façon, monsieur, on ne peut rien faire avant vingt-quatre heures.

— Vous ne comprenez pas !

— Monsieur, arrêtez de crier, s'il vous plaît, sinon...

— C'est ça. Foutez-moi donc en prison pendant que ma fille est peut-être morte à l'heure qu'il est !

— Monsieur, personne ne va vous mettre en cellule. Calmez-vous. Moi aussi, j'ai des enfants. Je vous comprends.

— ...

— Vous avez téléphoné chez ses amies ?

— Ça fait des heures que je la cherche partout.

— Rentrez chez vous et si demain matin vous êtes toujours sans nouvelles, appelez-nous.

Journal de Charlotte

22 mai 1998

« Aujourd'hui, Sam m'a invitée à un party. C'est le plus beau gars de l'école du monde entier de toute la vie entière de toutes les galaxies. Il faut que je trouve un moyen d'y aller. Mon père est tellement poche sévère, il voudra pas. »

C'est la dernière entrée de son journal. Elle l'a écrite la veille de sa disparition.

Dans la chambre de Charlotte

Trop souvent...

Longtemps je me suis réfugié dans sa chambre, espérant je ne sais quoi. Mais il n'y avait que son fantôme.

— Papa, cesse de lire mon journal. Tu trouveras rien là-dedans.

— Je sais, mais ça me fait du bien.

— Non, ça te fait du mal.

— C'est tout ce que j'ai.

— Arrête de me chercher.

— Je ne peux pas.

Au bureau de mon avocat

Cinq ans après la disparition

Au fil du temps, Lucie et moi nous sommes éloignés. Nous nous aimions toujours, et il y avait notre autre fille, Juliette. Malgré moi, ma souffrance avait érigé un mur entre nous. Seulement, je refusais de l'admettre. Je ne voulais pas voir de psy. Je vivais dans le déni. En désespoir de cause, plus pour me faire réagir, ma femme a demandé le divorce.

— Quel motif Lucie invoque-t-elle ?

— C'est pas aussi simple, Charles.

— Il doit bien y avoir une raison ! Elle ne peut pas exiger la garde de Juliette pour le *fun* !

— Charles… Tu vas pas bien.

— Je vais très bien ! Je travaille, je gagne bien ma vie même. Je paye tout ! Qu'est-ce qu'elle veut de plus ? Ma fille pour elle toute seule ? Non, monsieur.

— Tu ne t'en occupes pas beaucoup…

— Je lui paie des cours de danse, des cours de piano, de chant…

— Mais tu passes tes fins de semaine et souvent tes soirées à chercher un fantôme.

— Qu'est-ce que tu ferais à ma place ? C'est ça, me semble, être un bon père : ne pas abandonner.

— Ça fait cinq ans, Charles…

— Et puis après ?!

— Charles, on a déjà eu cette discussion. Je ne suis pas juste ton avocat, je suis ton ami. Je ne suis pas contre toi.

— Alors, bats-toi avec moi ! Merde !

— C'est pour ton bien, Charles. Mais surtout pour celui de Juliette. Un jour, tu vas le réaliser.

Au cimetière

Sept ans après la disparition

Mon ami avocat avait raison. Ça m'a pris du temps à le comprendre. Je devais faire mon deuil. Une cérémonie. J'avais décidé d'être le seul à y assister. C'est moi qui en avais besoin.

— Ehum... La coutume veut que les proches lancent une poignée de terre sur le cercueil, monsieur Lanctôt, dit le prêtre.

— Oui, désolé, j'avais la tête ailleurs.

— Je comprends. Ce n'est pas facile, ce que vous traversez. Faire son deuil après tant d'années...

— Est-ce que vous pourriez me laisser seul, s'il vous plaît?

— Bien sûr. Votre père sera content de la savoir enterrée à ses côtés.

— Charlotte...

Je ne sais pas si tu m'entends.

Ça n'a plus tellement d'importance.

Tu es déjà partie.

Où ça, quand ça.

J'espère que tu es bien.

Que tu n'as pas souffert.

Cette cérémonie ne veut pas dire que je ne t'aime plus.

Je sais que tu le sais.

C'est tout ce qui compte.

Dans une chambre d'hôpital, à la maternité

Seize ans après la disparition

La vie a repris son cours. Comme un pissenlit qui pousse entre l'asphalte et le trottoir. Juliette a grandi et est devenue une femme. Lucie et moi nous sommes réconciliés. Le bonheur est toutefois fragile. C'est peut-être ce qui le rend si beau.

— Juliette !

— Papa ! Tu arrives juste à temps, l'infirmière est partie chercher mon bébé pour que je l'allaite.

— Je vais attendre dehors.

— Mais non. Tu as déjà changé mes couches et donné mon bain.

— Vu comme ça…

— Maman n'est pas avec toi ?

— Euh, non… Elle…

— Elle surveille le chantier.

— Tu connais ta mère. Elle va venir cet après-midi, quand les ouvriers auront terminé.

— J'ai hâte de voir votre nouvelle maison. Ça va être le *fun*, l'été prochain, sur le bord du lac.

— Et puis, lui avez-vous trouvé un nom, à ce bébé ?

L'infirmière arrive justement avec la huitième merveille du monde dans ses bras. La dame était rayonnante. Je suis heureux que ma Juliette soit entre bonnes mains.

— Elle est super gentille, madame Lussier. Sans elle, je ne sais pas comment j'aurais fait pour les premiers boires. Ce n'est pas évident. On pense que ça va se faire tout seul, mais non, il y a toute une technique !

— Je suis sûr que tu te débrouilles très bien.

— Pour répondre à ta question de tout à l'heure, on a décidé de l'appeler Charlotte.

— …

— Je l'aimais moi aussi, tu sais.

— Tu es sûre ?

— Absolument.

— Ton chum aussi ?

— C'est même lui qui a eu l'idée.

— Ça va faire bizarre, tu ne crois pas ?

— Tu veux la prendre, avant que je lui donne son boire ?

— Oui… Allez, Charlotte, viens voir papa.

— Grand-papa…

— Oui, viens voir ton vieux grand-papa. Elle te ressemble beaucoup. Elle a ses yeux.

Fils de flic

André Marois

À mon père qui était flic
et à mon fils qui fait du cinéma.

Bruno évitait toujours d'évoquer la profession de son père devant ses copains. Mais ses amis connaissaient tous sa situation et à la première occasion, l'insulte fusait : « Fils de flic ! » En banlieue parisienne, quand on naît avec un père policier, on commence sa vie avec un boulet à traîner.

Il aurait préféré que son paternel travaille en Iran, comme le père de sa voisine Isabelle, ou qu'il conduise des locomotives, comme celui de son pote Pastis. Mais on ne choisit pas sa famille.

Pour marquer sa différence génétique, affirmer son indépendance de caractère, Bruno avait vite démontré une fâcheuse tendance aux mauvais coups. À douze ans, il commença par voler le

Game Boy de son cousin et quand il appuyait sur les touches, en cachette sous ses couvertures, il jubilait. Les menus larcins s'étaient enchaînés. Surtout les vols à l'étalage, les plus agréables, car impulsifs et publics. Son petit travers virait à la cleptomanie.

Il piquait des CD à l'aveuglette dans les magasins, puis il écoutait son butin avec délice. Un Johnny Cash *live* ou une compilation de chansons de Dick Annegarn lui donnaient des frissons partout. Il trouvait la musique meilleure quand il l'avait dérobée.

À seize ans, pour enfourcher sa première moto, il lui fallait un casque. Il l'avait fauché au centre commercial, au nez et à la barbe du caissier. Il avait coupé l'antivol avec un *cutter*, glissé la courroie sous son bras et y avait déposé les gants de jardinier qu'il venait de subtiliser au rayon verdure. Pour garder son calme, il avait acheté de la gomme à mâcher. Ni vu ni connu.

L'étape suivante avait été de convaincre Isabelle de sortir avec lui. Quand elle s'était fait voler son scooter, il était allé devant le cinéma avec un coupe-boulons emprunté sur un chantier de construction et en était reparti avec une Suzuki qu'il avait garée dans la cour de sa voisine. Tous les scooters se ressemblaient et son vol n'en fut qu'un parmi tant d'autres. Le gros bouquet de tulipes posé sur la selle témoignait de sa grande classe. Isabelle avait apprécié ce remplacement sans poser de questions. Elle le gratifia d'un long baiser qui promettait pour la suite.

N'empêche, il y avait régulièrement un imbécile qui lui rappelait qu'être la progéniture d'un flicard, en banlieue, ça t'enlevait toute crédibilité. Il ne pouvait jamais s'exprimer librement sans provoquer un commentaire du genre : « Oh, toi, t'es mal placé pour... » Il commença à répliquer avec ses poings, maîtrisant de moins en moins une violence qui le rongeait.

En présence d'Isabelle, Bruno se forçait à faire meilleure figure quand on l'asticotait. Il grognait une insulte et allait se défouler dans un supermarché, piochant au hasard des présentoirs, son regard défiant celui des gardiens de sécurité. Le vol devenait compensatoire. Bruno se sentait alors comme un boulimique entamant sa troisième choucroute.

Son père et lui n'avaient vraiment rien en commun ; aussi dissemblables qu'un poulet et une pie. Chez eux, l'ordre et le désordre cohabitaient sans communiquer. Bruno avait hâte de prouver au monde qu'il était autre chose que ce que suggérait ce préjugé réducteur.

L'occasion se présenta sous la forme d'une annonce publiée dans le journal local. Une compagnie de production était à la recherche de synopsis écrits par des jeunes pour réaliser une série télévisée à saveur policière. Ça s'appellerait *Banlieue noire* et mettrait à contribution des scénaristes, réalisateurs et acteurs issus des cités ouvrières.

Bruno, qui se racontait sans cesse des films dans sa tête, flaira le filon idéal à creuser. Le cinoche, il adorait ça. Des idées de scénarios, il en avait des tonnes. Il se mit aussitôt au travail.

Ce fut plus ardu qu'il ne l'avait imaginé, mais il s'accrocha. Oui, un flic pouvait engendrer un artiste. Les chats font parfois des chiens, se répétait-il pour se motiver.

On demandait aux candidats de présenter une histoire structurée et originale. Les personnages devaient être réalistes, avec interdiction de faire intervenir des fantômes ou des vampires.

Bruno s'inspira de son propre parcours pour ficeler une intrigue intitulée *Fils de flic*. La provocation est toujours payante, avait-il lu quelque part. Il s'offrit le beau rôle du Robin des Bois des temps modernes, volant les grands magasins pour donner aux petites gens. À la fin, il y avait une incroyable poursuite de motos dans un port de marchandises. Le héros finissait par s'emparer d'un chargement de dindes, qu'il distribuait aux pauvres la veille de Noël. Un truc épique et social, avec du suspens, de l'action et un brin d'humour.

Il vérifia l'orthographe de son projet à deux reprises, puis le posta comme demandé. Un mois plus tard, il reçut une convocation. Son idée avait été présélectionnée. Bruno se voyait déjà en haut de l'affiche.

Après avoir répété son laïus devant le miroir de sa salle de bain, il se présenta face au jury composé de six professionnels du cinéma et d'un élu local. Il avait les jambes en coton, mais son synopsis était coulé dans le béton. Ça compensait.

Le célèbre réalisateur Hubert Varan était assis au centre de la table. Ce petit bourgeois né d'un père banquier était devenu une star grâce à son deuxième film qui avait pour cadre une banlieue peuplée d'immigrants et de chômeurs. Il travaillait maintenant surtout aux États-Unis, où il tournait toutes sortes de navets qui remplissaient les salles obscures. La rumeur circulait que la ville avait déroulé le tapis rouge pour son prochain tournage. En échange, il s'abaissait à présider ce concours amateur. Autour de lui, les jurés jouaient les figurants, avides d'un boulot dans son futur long-métrage.

C'était Varan qu'il fallait convaincre.

Bruno prit une profonde respiration, salua d'un bref coup de tête, puis se lança. Après quelques phrases, il n'en était qu'à décrire son protagoniste quand Varan jeta un œil à sa Rolex, soupira bruyamment et lui coupa la parole.

— Je comprends pas qui est ton personnage principal. Qu'est-ce qu'il a de particulier ? insista-t-il avec son accent des beaux quartiers. *What's his problem ?*

Bruno s'interrompit net, décontenancé. Il pédala dans la semoule avant de reprendre.

— Ben... c'est... un type qui veut montrer qu'il est pas ce que les autres croient qu'il est.

Varan ricana en secouant la tête. D'une pichenette, il envoya voler une boulette de papier chiffonné dans la direction de Bruno.

— Moi, ce que je veux savoir, c'est ce qu'il a dans le bide, pas dans le citron. Qu'est-ce qui l'anime ? *Get it ?*

Bruno paniqua, cherchant une réponse qui ne se trouvait pas dans ses notes.

— Au cinéma, insista Varan, les images bougent. Au cas où tu l'aurais pas remarqué.

La troupe de lèche-culs s'esclaffa à la réplique du réalisateur. Bruno ne se laissa pas démonter par leurs rires pathétiques. Il réagit aussi sec.

— Le gars, c'est le fils d'un flic qui...

Varan l'interrompit à nouveau, l'air exaspéré.

— Personne ira voir un film dont le héros est le fils d'un flic. Les enfants de salauds, on les supprime pendant le générique du début. *Paw!*

Varan mima l'action en pointant son index vers sa cible désarmée. Tout le monde acquiesça à ses dires. On se souvient toujours du nom des méchants – les Mesrine, Bonnie and Clyde et Al Capone qu'on glorifie au grand écran –, mais jamais de celui des rabat-joie qui ont mis fin à leurs parcours flamboyants.

Bruno attaqua de plus belle :

— Justement, ça commence mal pour lui, alors il doit se battre pour prouver qu'il est autre chose qu'une étiquette. C'est pas parce qu'il est le fils d'un flic qu'il peut pas devenir lui aussi un grand truand, et donc que...

Hubert Varan tapa du plat de la main sur la table.

— On arrête ça là ! Je cherche des scénars noirs qui reflètent la réalité des banlieues, pas des contes de fées farfelus. On veut du sale, pas du bancal, ni du banal. *Next !*

— Mais...

On indiqua la sortie à Bruno. Il n'avait même pas eu le temps de raconter la moitié de son histoire.

Il se retrouva dehors, la haine au ventre, et frappa du pied une bouteille de bière qui se pulvérisa contre un mur. Tous des pourris. Et toujours la même rengaine : on fait miroiter des opportunités aux jeunes, mais en réalité on ne les écoute pas. Ça ne changera jamais. Bruno enfourcha sa moto, vexé et furibard.

En plus, ils s'étaient payé sa tête.

Il n'y avait personne chez lui. Le jeudi, c'était jour de courses. Ses parents arpentaient les allées du centre commercial en poussant un chariot qui débordait de bouffe. Il ne leur avait pas annoncé qu'il se présentait au concours. Il voulait garder la surprise pour épater ses potes et Isabelle avec son fabuleux talent. Il allait percer dans le cinoche. Lui, le fils d'un simple...

Mais il n'avait personne à qui raconter sa rage.

Bruno tourna en rond, passant de pièce en pièce, cognant dans les murs. Il eut soudain une idée que seul un fils de flic français pouvait avoir. Dans la chambre de ses parents, l'armoire était entrebâillée. La crosse du pistolet de son père dépassait légèrement de l'étagère supérieure. Il le mettait tout le temps là quand il enlevait son uniforme et fermait ensuite le meuble à clé. Ils avaient dû partir en vitesse et il avait oublié de le verrouiller.

Bruno saisit l'arme de service : un 9 mm. Son père avait ôté le chargeur. Bruno le trouva sans peine au milieu d'une pile de chemises, l'introduisit dans la crosse, puis empoigna le pistolet noir à deux mains et s'observa dans le miroir.

C'était la première fois qu'il tenait une vraie arme de poing. Malgré sa petite taille, elle était plus lourde qu'elle n'y paraissait. Bruno la glissa dans sa ceinture, à l'arrière, sous son blouson et sortit. Son synopsis était toujours plié en quatre dans sa poche.

Il effectua le trajet en sens inverse à fond de train et se gara dans une rue à côté de la Maison des jeunes et de la culture où avaient lieu les auditions. Il fut tenté de percer les pneus du gros

4x4 BMW stationné devant les marches, mais il n'était pas un vulgaire vandale, il valait mieux que ça. Il était un scénariste et on devait prendre connaissance de son intrigue.

Il patienta jusqu'à la nuit tombée, jusqu'à ce que ce fumier d'Hubert Varan sorte de là en s'étirant les bras, suivi par sa bande de béni-oui-oui. Un flash illumina la scène. Tant mieux s'il y avait des photographes.

Bruno bouscula les badauds qui quêtaient un autographe et se retrouva face au cinéaste qui le reconnut. Il brandit aussitôt le pistolet de son père et le braqua sur le front d'Hubert. Tout le monde se pétrifia. L'intensité de Bruno faisait craindre le pire.

— Vous allez écouter mon histoire jusqu'au bout.

Il retira les papiers de sa poche, les déplia avec maladresse. Il voulait reprendre là où il avait été interrompu.

Varan se figea, leva la main en signe d'apaisement, mais ne se démonta pas, gardant son air méprisant. Il alluma même une cigarette. Sans trembler.

— Range ça, fiston, avant de faire une bêtise. T'en écriras d'autres, des histoires...

— Vous êtes là pour écouter celle que j'ai envoyée, alors faites votre boulot.

— Il est pas bon, ton script. Pas besoin de perdre mon temps à l'écouter jusqu'au bout. Je le sais, c'est tout. Maintenant, baisse ton joujou. Tu vas finir par blesser quelqu'un.

Bruno ne bougea pas. Varan le toisa. Pensait-il que le *gun* était un faux ?

— Allez, dégage, fils de...

Le réalisateur n'acheva pas sa phrase. Bruno pressa sur la détente et la balle tirée à bout portant fit exploser le front de l'arrogant. La lumière de la star s'éteignit aussitôt. Les spectateurs crièrent, certains se couchèrent sur le sol, d'autres détalèrent comme des lapins devant le grand méchant loup. Bruno tenait toujours son pistolet d'une main et son synopsis de l'autre. Il resta là, immobile, tel un bronze d'assassin.

— Les fils à papa, on les supprime dans le générique de fin, murmura-t-il.

Un pépin dans ta pomme

Martin Michaud

Tout a commencé avec ton sourire à la Mona Lisa...

Tu avais neuf ans au moment de notre séparation et, jusque-là, ta maman et moi avions pris pour de la coquetterie ces sourires timides où tu ne montrais pas les dents. Une visite de routine chez le médecin est venue ébranler nos certitudes. S'étant installée progressivement, une paralysie à peine perceptible affectait le côté droit de ta bouche.

D'un hôpital pour enfants à un autre, de mauvais diagnostic en mauvais diagnostic, la paralysie est devenue plus marquée, jusqu'à affecter aussi ta paupière. Accompagnés d'une armée de spécialistes, nous en avons cherché la cause pendant plus de deux ans.

C'est autour d'une table bancale, dans une pièce crade, qu'un ORL du Montreal Children nous a livré le verdict comme un coup d'assommoir, entre deux patients :

— La tumeur est petite, plus petite qu'un pépin de pomme. Mais elle est mal localisée, elle comprime le nerf facial, dans le cerveau. Nous allons devoir la retirer...

On occupe son anxiété comme on peut : devenu spécialiste de ta condition par la force des choses, j'ai lu toute la littérature médicale relative à ton type de tumeur. Seulement une quinzaine de cas rapportés dans le monde...

L'hôpital est devenu notre deuxième maison. Ta maman et moi trimballions ton dossier de service en service, afin de nous assurer que les médecins l'aient toujours en main pour les consultations.

Voulant mettre toutes les chances de ton côté, nous avons rencontré des spécialistes de partout afin de trouver un chirurgien qui avait déjà pratiqué le type d'intervention requise. La chirurgie est un peu comme la mécanique : tu ne confies pas ta Ferrari à un apprenti.

Un médecin pour adultes de Toronto nous a finalement recommandé de te faire opérer par un collègue de Montréal, l'un des plus réputés dans le domaine. En consultation, quand nous avons questionné celui-ci sur les chances que la chirurgie fasse disparaître la paralysie, il a répliqué en souriant :

— Pourvu qu'elle ne veuille pas devenir mannequin...

Sur le coup, j'ai réussi à me convaincre qu'il valait mieux que tu sois opérée par le chirurgien le plus qualifié, même s'il manquait cruellement d'empathie. Mais, encore aujourd'hui, je regrette de ne pas lui avoir flanqué mon poing dans la figure.

À cette époque, lorsque je n'allais pas très bien, je fumais quelques cigarettes sur le balcon, tard le soir. Tu détestes quand je fume, mais je t'assure que ce n'était qu'une forme de psychothérapie comme une autre.

Après la dernière rencontre préopératoire, j'ai affirmé que je prendrais ta place si je le pouvais. Je nous revois tous les deux, enlacés dans l'auto, les yeux noyés de larmes. Je te l'avoue aujourd'hui : je mentais. Je n'aurai jamais ta force ni ta résilience.

Je n'ai pas fermé l'œil de la nuit la veille de l'opération, mais tout s'est déroulé sans heurts.

Aux soins intensifs, je ne t'ai pas quittée des yeux pendant que tu dormais, scrutant sans relâche tes traits. On voudrait l'éviter, mais c'est imparable : un papa voit certains de ses travers modeler ses enfants. Évidemment, tu as hérité de mes pires défauts : tu es prompte, irrésistible et aussi maniaque des Canadiens de Montréal que moi. Tu es ma fille...

Tu as demandé un miroir à ton réveil. J'avais peur de ta réaction, peur que la longue cicatrice en U inversé qui marquait le côté de ton crâne te fasse éclater en sanglots. Tu as plutôt trouvé le moyen d'éclater de rire et, devant l'enflure de ton visage, de t'exclamer :

— *Dad*, j'ai la tête aussi grosse qu'Andrei Kostitsyn...

Le jour de ta sortie, je t'ai demandé si tu voulais un fauteuil roulant. Remplie d'orgueil, tu m'as dit que tu quitterais l'hôpital sur tes pieds. Dans l'ascenseur, entre deux étages, tu as eu un haut-le-cœur. Impuissant, je t'ai regardée vomir par terre.

— Désolée. Faut nettoyer ça...

Alors que nous remontions le corridor inondé de lumière menant à la sortie, j'ai cherché de l'aide du regard.

Un couple avec deux enfants a détourné la tête en te voyant. Une dame en tailleur Gucci tenant par la main un petit garçon drapé de vêtements Lacoste a fait un détour pour nous éviter. J'ai eu des pensées morbides : je me suis imaginé que son fils s'appelait Raoul et qu'elle le forçait, malgré la canicule, à porter des camisoles sous sa chemise empesée.

Dehors, le soleil tranchait le jour comme une lame. Dans le stationnement déserté pour le week-end, un homme maniant une pelle bouchait des trous avec de l'asphalte. Un gars de la construction, coiffé d'un casque jaune, un dossard orange passé par-dessus une camisole sale et plein de tatouages sur les bras. Dès qu'il nous a vus sortir, il s'est précipité vers nous :

— Est-ce que je peux vous aider, monsieur ?

Je lui ai donné mes clés de voiture. Déverrouillant les portes, ouvrant celle du côté passager, il a tenu mon sac pendant que je t'installais. J'allais faire le tour de l'auto lorsqu'il m'a arrêté :

— Pourquoi les enfants ? Je peux pas comprendre ça, monsieur.

J'aurais voulu lui dire que son humanité l'honorait. En posant ma main sur son épaule, la gorge nouée, je n'ai réussi qu'à lui murmurer de vagues remerciements. Mais ce jour-là, tandis que je roulais à basse vitesse pour éviter les chocs et les nids de poule, j'ai pensé qu'il y avait peut-être de l'espoir pour la condition humaine.

Tu ne t'es jamais plainte, ni avant, ni pendant ta convalescence. Moins de deux semaines après l'opération, tu te baignais dans la mer, dans le Maine.

Plusieurs années ont passé depuis. Nous n'en reparlons jamais, mais je n'ai rien oublié. Et quand, au printemps 2012, Andrei Kostitsyn a été échangé aux Prédateurs de Nashville, tu m'as souri. On savait tous les deux qu'il était pour nous un symbole qui n'avait rien à voir avec le hockey. Il y a de ces choses que l'on comprend sans avoir besoin d'en parler...

Il y a aussi de ces choses essentielles qu'un papa doit savoir exprimer. Je ne te l'ai jamais dit, mais être papa, c'est la tâche la plus difficile qu'il m'ait été donné d'accomplir. Être papa est une responsabilité grave. Être papa, c'est se remettre sans cesse en question, c'est essayer d'agir en conformité avec un idéal, c'est tenter de bien réagir en toutes circonstances. Et c'est aussi se demander si on est un bon guide, si on prend les bonnes décisions, qu'elles soient banales, ou encore aussi cruciales que le choix d'un chirurgien.

Être ton papa, c'est également la chose la plus grandiose qu'il m'ait été permis de vivre. À travers cette épreuve que nous avons vécue ensemble, tu m'as montré qu'il faut regarder droit devant soi et ne jamais se laisser abattre. Tu es pour moi un modèle, la personne la plus courageuse que je connaisse. Je n'atteindrai jamais mon idéal de perfection, mais je m'efforce, jour après jour, d'être le père que je veux être, le père que tu mérites. Et lorsque je ne suis pas à la hauteur, je me dis que je pourrai me reprendre le lendemain...

Par-dessus tout, si j'ai une certitude, c'est que tant que je serai en vie, tu pourras compter sur moi. Tant que je serai là, je t'accompagnerai dans les meilleurs moments comme dans les pires épreuves.

Je sais que je serai toujours inquiet, mais que je n'aurai jamais peur pour toi. Je sais aussi que je serai éternellement fier de toi et que c'est un privilège d'être ton papa.

Je sais enfin que rien ne va t'arrêter : pas même un pépin dans ta pomme...

Poupon surprise

Mathieu Fortin

Parce que devenir père, c'est prendre conscience de sa ressemblance avec le sien.

— Nous sommes réunis ici aujourd'hui en mémoire de...

Le prêtre livre son discours habituel, mais je ne l'écoute pas. J'aime mieux te parler, même si c'est dans ma tête. Pour amorcer mon deuil, je suppose.

Le curé ne t'a pas connu, alors il t'invente une vie construite sur les faits saillants que je lui ai confiés.

Il y a quelques mois, je n'aurais guère été meilleur si on m'avait demandé de parler de toi.

Je ne m'attendais pas à ce que tu surgisses ainsi dans ma vie, déposé sur le pas de la porte, presque sauvagement, sans le temps d'une protestation. J'aurais refusé ta garde légale, si on ne m'avait pas montré les papiers m'obligeant à t'accepter chez moi et qui m'expliquaient aussi ta condition. Pas étonnant, diraient certains : jeune professionnel célibataire, ne pense qu'à lui-même, aucune responsabilité, sans jamais besoin de se comporter en adulte. Le temps que je me ressaisisse, la travailleuse sociale était déjà repartie.

Mon irresponsabilité… C'était tout ce que ma mère voyait en moi, d'ailleurs, avant sa mort. « Trouve-toi une belle petite femme, au lieu de coucher à gauche et à droite. Tu vas te réveiller un matin et réaliser que tu es tout seul, que tu n'as rien dans la vie et que les années où tu aurais eu l'énergie d'élever des enfants, tu les as passées dans les bars, dans tes jeux vidéo ou à travailler comme un fou pour t'acheter de nouvelles bébelles qui passent de mode avant même que t'aies fini de les payer. »

C'était une sage-femme, ma mère. Littéralement et métaphoriquement. Comment ne pas acquérir de la sagesse en délivrant des entrailles de leur mère quelques dizaines de bébés par année ?

Je l'écoutais en hochant la tête, sans protester, sachant que je ne pourrais répliquer, son monologue n'admettant aucune coupure de rythme.

N'empêche qu'un matin, tu étais là. Moi, en peignoir, éméché, les yeux rougis de fatigue, je me suis paralysé dans la porte grande ouverte, dans le pire froid de cet hiver infernal. Je te regardais sans trop savoir quoi dire ni quoi faire, comme si j'attendais que tu me révèles ce que tu espérais de moi.

C'était stupide : j'aurais dû comprendre sur le coup que tu ne pouvais pas m'expliquer ce qui se passait !

Je t'ai soulevé et, surpris de ta légèreté, je t'ai déposé sur le divan, calé entre deux coussins pour t'empêcher de tomber : tu avais tellement peu de tonus, et je n'avais pas envie que tu te blesses alors que je tentais encore de saisir la situation.

Quand je repense à ton arrivée, je m'épate de mes réactions. J'ai éprouvé de la tendresse, alors que la pitié pour les plus faibles était plutôt mon pain quotidien. J'ai toujours été un partisan de « Débrouille-toi toi-même », anti-aide-sociale, anti-chômage, contre ceux qui se plaignent et qui attendent que la vie leur envoie des fleurs. Avec ton arrivée, j'ai commencé à avoir une autre perspective sur tout ça.

Je t'ai installé confortablement pendant que je m'habillais en vitesse, pantalon sport et t-shirt d'entraînement, comme si, inconsciemment, je me doutais que t'avoir dans ma vie allait la transformer en sport extrême nouvelle génération.

Tu ne parlais pas, ne marchais pas, et tu signifiais tes besoins à l'aide de sons incohérents. J'avais choisi une maison en banlieue douillette, abordable, plutôt qu'un condo parce que j'avais soif d'espace et… acheter un appartement au prix d'une maison, ça ne vaut jamais le prix qu'on le paye. La femme de ménage passait tous les jeudis pour m'aider à maintenir un niveau adéquat de salubrité, et j'engageais des garçons du coin pour déneiger mon entrée et entretenir mon gazon et mes plates-bandes. Ma mère, pendant ses soliloques interminables, me rabâchait sans cesse que ma seule décision responsable d'adulte avait été de préférer une maison sur la Rive-Sud à un condo au centre-ville. Ce qu'elle souhaitait par-dessus tout, Dieu ait son âme, c'était que j'emménage près de chez elle, dans son petit village, et que je devienne un garçon sage. Elle ne comprenait pas qu'il m'était impossible, là-bas, de travailler dans le domaine de la finance et que je ne m'abaisserais pas à poinçonner ma carte de temps à l'usine du coin pendant trente-cinq ans. À sa mort, j'ai vendu sa maison à toute vitesse et je ne suis jamais retourné dans le trou qui m'a vu naître.

Bref, j'avais choisi le bungalow plutôt que le condo et je me justifiais d'une boutade : il me fallait bien une caractéristique particulière pour me distinguer de tous ces autres financiers prospères.

Au moins, j'avais assez d'espace pour t'accueillir dans ma chambre d'amis. Sur le même étage que ma propre chambre, comme ça, j'étais près de toi en tout temps, au cas où tu aurais besoin de moi pendant ton sommeil.

Si j'avais reçu un préavis, j'aurais pu acheter l'équipement qui s'avérerait nécessaire, à commencer par les couches, la barrière dans le lit, la clôture pour l'escalier, la nourriture molle pas de grumeaux (mais ça, c'était moins grave, parce que j'avais déjà un Magic Bullet et un SlapChop, surnommés respectivement Magique Poulette et Snapshot, conséquence de ma manie d'écouter les infopubs en travaillant et des mauvaises comédies mal traduites). Côté bouffe, ça pouvait aller. Côté sanitaire, par contre...

J'ai eu un choc la première fois, cette journée-là, quand j'ai senti l'odeur atroce qui émanait de ta couche ultra-absorbante.

Sans aucun doute, ton système digestif possédait un fort lien de parenté avec les égouts à ciel ouvert d'une commune du Moyen Âge.

Tu m'as regardé avec une étrange expression de soulagement agrémentée d'un demi-sourire de victoire. J'ai voulu sortir la panoplie de celui qui n'a jamais changé de couche : masque à gaz, torche pour tout brûler et Febreze à odeur de bébé en plastique. Manque de veine, je n'ai trouvé qu'un vieux pince-nez et des gants de vaisselle, les classiques, jaunes en caoutchouc, tellement désagréables au toucher qu'ils ont assurément été inventés pour inciter les gens à acheter des lave-vaisselle.

Pour une première expérience, ce n'était pas trop mal, je m'en suis bien sorti.

Je mens.

C'était dégueulasse.

Je n'avais jamais envisagé d'essuyer d'autres fesses que les miennes. Comment pouvais-tu manger seulement du mou, presque du liquide, et produire autant de déchets solides ? Comment pouvais-tu, cinq minutes après avoir rempli une couche jusqu'à la faire déborder, continuer à éjecter des matières fécales en quantité industrielle ? Pendant que je te levais les jambes pour te placer une couverture sous les fesses, tu te vidais toujours dans une odeur d'intense putréfaction.

Je n'étais pas prêt du tout.

Après cet épisode, le lendemain de ton arrivée, j'ai eu la présence d'esprit d'appeler au CLSC pour avoir un coup de main. Je ne pense pas que j'aurais pu relever ce défi tout seul, même avec toute ma bonne volonté. L'hystérie devait transparaître dans ma voix parce qu'avant la fin de la journée, une infirmière s'est présentée à la maison, la valise pleine de listes et de brochures, d'échantillons de produits, comme une représentante Tupperware de soins à domicile. Je l'ai séquestrée pour l'obliger à me montrer comment préparer ta bouffe, te nourrir, te laver, faire l'inventaire des trucs dont j'allais avoir besoin. Je l'ai questionnée sur la sécurité, les précautions, les libertés et les contraintes qui feraient partie de ma vie dorénavant.

À son départ, j'étais aussi paré que possible.

On dit souvent que les parents ont neuf mois pour se préparer et que ce temps est primordial à l'apprentissage nécessaire pour devenir responsable d'un autre être, vulnérable et dépendant. Je n'ai pas bénéficié de cette période d'entraînement, on ne m'a pas laissé le choix : un moment je ne te connaissais pas, l'instant suivant, BANG !, je me retrouvais mère nourricière, préposé au bénéficiaire, infirmier et que sais-je encore !

J'ai changé de mode de vie après ton arrivée. Moins de cinq à sept qui finissent sur une banquette arrière et plus de mets surgelés devant la télé. Les copains ne comprenaient pas ce qui m'arrivait, mes baises régulières appelaient pour qu'on se voie et je déclinais leurs invitations. Je n'avais pas envie de leur parler du changement que je vivais, de ce désir de tout faire pour que ton passage dans ma vie se déroule le mieux possible.

Et tu sais quoi ? Je ne regrette rien de ces deux années que nous avons passées ensemble.

Tous les jours, je ne pensais qu'à ta condition qui pouvait s'aggraver sans que j'y puisse quoi que ce soit. J'étais déjà très attaché à toi : je sentais, chaque jour, qu'on apprenait à se connaître, qu'on se comprenait de mieux en mieux, même si tu ne parlais toujours pas. Je ne souhaitais pas réaliser que tu ne resterais pas longtemps auprès de moi, mais les papiers qui t'accompagnaient à ton arrivée étaient clairs : tu étais ici en attendant ton départ. Départ qui allait, lui aussi, changer bien des choses.

Ces papiers, je les ai conservés précieusement, trésor autant que souvenir.

À ton arrivée, j'ai pris des vacances, pendant lesquelles je me suis demandé comment je ferais pour concilier mon horaire avec ta présence, jusqu'à ce qu'un premier chèque arrive, accompagné d'une lettre m'expliquant que je recevrais de l'argent pour te garder avec moi. J'ai modifié mon horaire de travail pour être plus libre, et j'ai vendu ma voiture deux places pour acheter un véhicule qui permettait de t'installer à l'arrière. Je me suis transformé, passant d'irresponsable à l'emploi du temps atypique en modèle d'organisation.

Après quelques mois, j'ai eu peur pour ma santé mentale : je passais tout mon temps avec toi. Comment aurais-je pu faire confiance à quiconque pour te garder, avec tes besoins si particuliers ? Tout ce que j'avais eu à apprendre et à assimiler en catastrophe à ton arrivée ne se transmettait à aucune petite gardienne à trois dollars de l'heure... En fait, je n'avais aucune idée du tarif d'une gardienne, mais je n'aurais pu faire confiance à personne pour te surveiller. J'avoue que je regrettais quand même ma vie d'avant. Ma nouvelle vie m'apportait beaucoup, aux plans humain et relationnel, mais... ça manquait de peau. J'étais en manque de la caresse d'un regard, de l'odeur de cheveux imprégnée dans un oreiller, de gémissements explicites.

J'ai commencé à t'amener au parc, pour prendre l'air… et pour rencontrer des filles de parc. Pas celles qui se font bronzer, faux ongles et mèches en prime, mais celles qui s'activent, qui bougent… et qui pourraient nous lancer un regard tendre et comprendre ma situation en un coup d'œil.

C'est comme ça que j'ai rencontré Sophie. Tu étais là, tu as affiché ton plus beau sourire lorsqu'elle s'est avancée vers nous, et quand mes yeux ont croisé les siens, je savais qu'une connexion s'établissait entre nous. Aujourd'hui elle est là, près de moi.

Je suis content qu'on se soit connus, même si c'était à la fin de ta vie, malgré la maladie dégénérative qui t'a transformé en poupon de soixante-dix ans, même si je regrette que tu n'aies pas été présent pendant la majorité de mon existence. On fait tous des choix : le tien avait été de quitter maman et d'ignorer que j'existais. Il est ironique que tu m'aies nommé tuteur légal, mais j'en conclus que c'était ta volonté de te rapprocher de moi avant de partir.

Je suis heureux que tu aies été témoin de ma rencontre avec Sophie, et qu'elle ait partagé avec moi les ultimes moments que nous avons vécus ensemble. Les mains douces qui se sont occupées de toi, papa, pendant les dernières semaines, ce sont les siennes.

Ton départ m'attriste, mais quand je caresse le ventre de Sophie, je sais que tu étais là pour m'amener ailleurs dans ma vie et pour me préparer à la venue de mon propre fils, pour que je ne me sauve pas comme tu l'as fait quand je suis arrivé dans ta vie.

Et juste ça, c'est suffisant pour que je te pardonne ta trop longue absence.

Bon repos, papa.

Les auteurs (et pères)

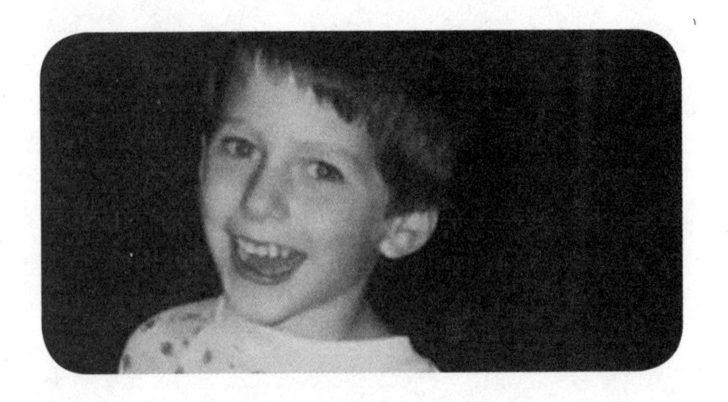

Dominic Bellavance

Dominic Bellavance détient un baccalauréat de l'Université Laval en rédaction professionnelle, littérature québécoise et création littéraire. Quand il n'écrit pas des romans dans le sous-sol de sa maison, il fait de la rédaction à la pige pour des agences média. Il trouve son inspiration un peu partout, mais surtout dans le café instantané, produit qui, selon lui, « ne goûte pas si pire que ça, t'sais ». Il vit à Québec avec sa petite famille.

Claude Champagne

Diplômé en écriture dramatique de l'École nationale de théâtre du Canada (1992), Claude Champagne détient aussi une maîtrise en études littéraires (profil création) portant, entre autres, sur l'écriture de l'oralité. En 1996, il a cofondé la maison d'édition Dramaturges Éditeurs, seule maison spécialisée en dramaturgie au Québec, où il a été éditeur durant sept ans. Pendant près de douze ans, il a écrit plusieurs pièces pour le théâtre et la radio. Depuis environ deux ans, il se consacre à la littérature jeunesse avec les séries *Les Héritiers d'Ambrosius* (pour les jeunes de 10 ans et plus) et *Marie-Anne* (pour les jeunes de 7 ans et plus).

Tristan Demers

Tristan Demers est présent sur la scène culturelle québécoise depuis trente ans. Le créateur de *Gargouille* et de *Cosmos Café* aime faire rire et communiquer sa passion pour la BD dans les salons du livre du monde entier. Illustrateur à la télévision, Tristan est également l'auteur de *Tintin et le Québec*, salué dans toute la francophonie et lauréat du Prix du grand public au Salon du livre de Montréal. Il est surtout collectionneur d'objets rétro insignifiants, amateur de parcs d'attractions et convaincu qu'il a visité Expo 67 même s'il n'était pas né. Il ne le fait pas exprès, il vit lui-même dans une bande dessinée !

Mathieu Fortin

Mathieu Fortin est le papa de Rosanne et Hubert, deux petits hobbits qui l'incitent à inventer de belles histoires de jolies princesses et de gentils chevaliers. Pourtant, sa plume visite plus souvent l'épouvante et le fantastique que le conte merveilleux. Il a publié l'automne dernier son seizième livre, un roman policier intitulé *Cancer*, aux éditions Coups de tête.

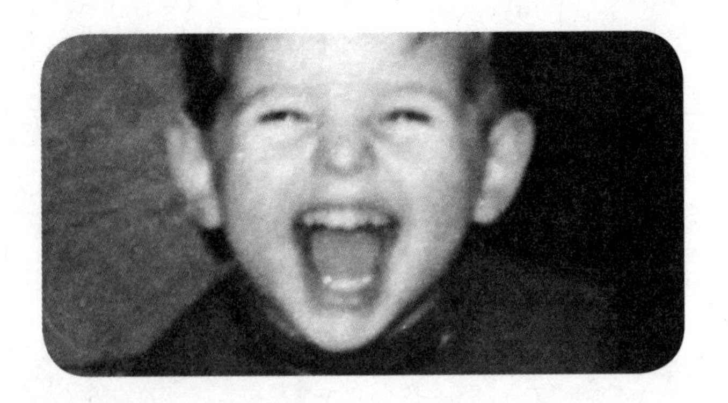

Pascal Henrard

Auteur, chroniqueur, concepteur-rédacteur et scénariste, Pascal Henrard vit de sa plume et de ses idées depuis plus de vingt-cinq ans. Sa blonde est aussi sa coloc, son illustratrice ainsi que la mère de sa fille et de son fils. À l'aube de ses 50 ans, il emmène ce dernier faire le tour de l'Europe en 2CV.

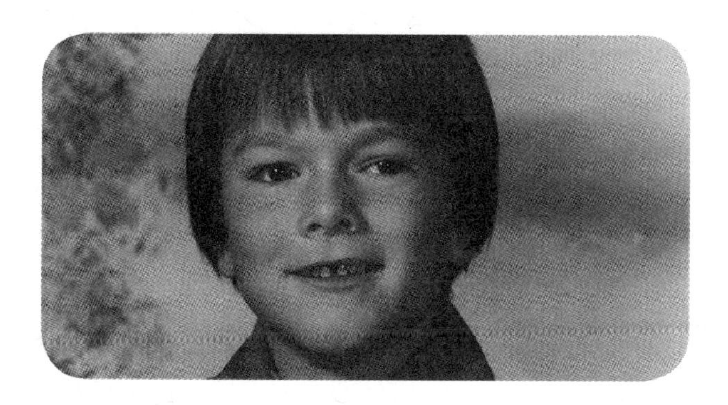

Michel J. Lévesque

Depuis 2006, Michel J. Lévesque a donné vie à de nombreux personnages, ainsi qu'à plusieurs univers. *Samuel de la chasse-galerie, Arielle Queen, Soixante-six*, *Wendy Wagner*, *Clowns vengeurs* et *Psycho Boys*, vous connaissez ? Mais son enfant chérie restera toujours Simone, la petite fille qui éclaire sa vie et à laquelle il a promis une enfance à la fois magique et paisible.

André Marois

Né à Créteil en 1959, André Marois a grandi dans la banlieue sud de Paris avant de s'envoler pour Montréal en 1992. C'est là qu'il a commencé à écrire. Depuis son arrivée, il a publié trente et un livres au Québec et un seul en France. Il écrit des romans noirs pour les adultes, des romans policiers et de science-fiction pour la jeunesse et des nouvelles pour tirer sur tout ce qui bouge. Il se demande parfois s'il invente des polars parce que son père ne lui a jamais rien raconté de ses activités de gardien de la paix.

Martin Michaud

D'abord et avant tout père de deux adolescents, Martin Michaud est accessoirement avocat, musicien, scénariste et écrivain. Qualifié par la critique de « maître du thriller québécois », il voit son travail comparé à celui d'auteurs internationaux tels Michael Connelly, Jo Nesbo, Fred Vargas et Henning Mankell. Dès leur parution, ses quatre premiers polars ont obtenu un succès littéraire fulgurant, lui ont valu de nombreux prix et d'être reconnu comme l'un des meilleurs écrivains québécois de romans policiers. Martin travaille à la scénarisation de ses œuvres pour la télévision et le cinéma.

Patrick Senécal

Malgré sa voix forte et son tempérament impulsif, Patrick est tout le contraire de ce que ses romans pourraient laisser supposer : bon vivant, enjoué, drôle, mais aussi très près des gens qu'il côtoie. Il vit avec sa femme et ses deux enfants, attentif à la qualité de vie de sa petite famille. Il n'est pas adepte de violence, bien qu'il soit pleinement conscient que tout être humain possède un côté violent, sombre et plus imprévisible qu'il ne le laisse paraître... Patrick a été publié pour la première fois en 1994, mais c'est son roman *Sur le seuil*, paru en 1998, qui le fera connaître.

Matthieu Simard

Depuis 2004, Matthieu Simard a publié cinq romans, dont le plus récent, *La tendresse attendra*, a séduit un large lectorat. Il est également l'auteur de *Pavel*, un feuilleton pour adolescents qui fut en lice pour un Prix du Gouverneur général en 2009. Père d'un Antonin et d'une Estelle, il n'avait jamais écrit sur la paternité avant aujourd'hui, préférant vivre plutôt que raconter.

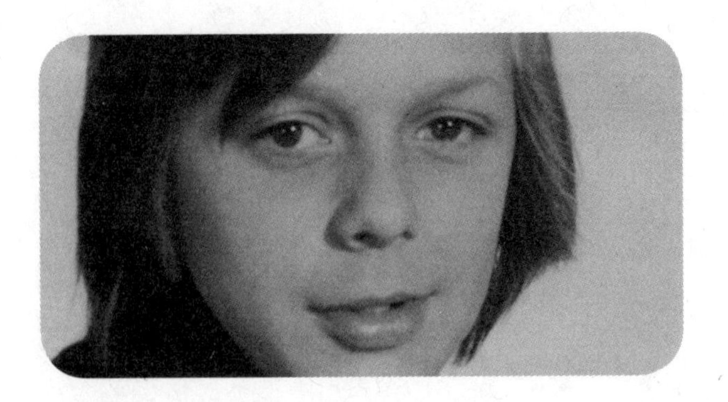

Pierre Szalowski

Arrivé au Québec en 1997 pour ouvrir Ubisoft, Pierre Szalowski, né en France de parents polonais, abandonne cinq ans plus tard l'univers du jeu vidéo pour se lancer dans l'écriture. Il fait son entrée dans les salles de cinéma en signant *Ma fille, mon ange* et divers documentaires pour la télévision. *Le froid modifie la trajectoire des poissons*, son premier roman, a rapidement fait de lui un des auteurs québécois les plus traduits dans le monde.

Trop d'enfants prennent encore le chemin de l'école le ventre vide. Parce qu'ils s'en indignent et qu'ils veulent contribuer à briser le cercle de la pauvreté, les auteurs de ce recueil, tous des pères, ont choisi d'appuyer le Club des petits déjeuners du Québec. Ainsi, une partie des profits de la vente de ce livre sera versée à cet organisme.

Fondé il y a vingt ans par Daniel Germain, le Club des petits déjeuners vient en aide aux enfants des milieux défavorisés en veillant à ce qu'ils bénéficient d'un petit déjeuner nutritif à l'école. De nombreuses recherches ont prouvé l'importance de ce repas matinal dans le développement et la réussite scolaire d'un enfant.

Chaque matin, avant les classes, les bénévoles des 1 266 clubs répartis à travers le Canada servent le petit déjeuner à quelque 130 000 enfants. Un premier pas essentiel pour que tous les enfants puissent entretenir des projets et nourrir des rêves.

Pour en apprendre plus sur la mission du Club ou pour devenir vous-même partenaire de l'organisme, visitez leur site, au **clubdejeuner.org.**